JN103555

文字・語彙・文法
Vocabulary / Grammar

読解
Reading

聴解
Listening

五十嵐香子 Kyoko Igarashi
佐藤茉奈花 Manaka Sato
金澤美香子 Mikako Kanazawa
杉山舞 Mai Sugiyama
植村有里沙 Arisa Uemura

全科目攻略！

日本語能力試験 ベスト 総合問題集

Succeed in all sections!

The Best Complete Workbook for the Japanese-Language Proficiency Test

全科目攻略！JLPT 日本語能力試験ベスト総合問題集 N1

Succeed in all sections! The Best Complete Workbook for the Japanese-Language Proficiency Test N1

2021年 6 月 5 日　初版発行
2024年10月20日　第5刷発行

著　者：五十嵐香子・佐藤茉奈花・金澤美香子・杉山舞・植村有里沙

発行者：伊藤秀樹
発行所：株式会社 ジャパンタイムズ出版
〒102-0082 東京都千代田区一番町2-2
一番町第二TGビル 2F

ISBN978-4-7890-1781-7

First edition: June 2021
5th printing: October 2024

Narrators: Yuki Minatsuki, Mai Tanaka, Shogo Nakamura and Yuya Kunikane
Recordings: The English Language Education Council
English translations: EXIM International, Inc.
Vietnamese translations: Nguyen Do An Nhien
Chinese translations: Yuan Shu, Ding Yiran and Xia Yujia
Russian translations: Sabina Zabirova
Layout design and typesetting: DEP, Inc.
Typesetting: Soju Co., Ltd.
Cover design: Shohei Oguchi + Ryo Misawa + Tsukasa Goto (tobufune)
Printing: Nikkei Printing Inc.

Published by The Japan Times Publishing, Ltd.
2F Ichibancho Daini TG Bldg., 2-2 Ichibancho, Chiyoda-ku, Tokyo 102-0082, Japan
Website: https://jtpublishing.co.jp

ISBN978-4-7890-1781-7

Printed in Japan

はじめに

Preface

本書『全科目攻略！JLPT日本語能力試験ベスト総合問題集N1』は、日本語能力試験N1の合格を目指す日本語学習者のためのドリル問題集です。全科目をバランスよく、計画的にしっかり学べる内容になっています。また、科目ごとにまとめてありますので、苦手な科目を集中的に練習することもできます。

各問題の形式は過去のJLPTに実際に出題されたものを参考にしました。語彙や文型は一般的なN1レベルに準じていますが、比較的解きやすい問題から難易度の高い問題までをそろえることで、N2に合格したばかりの学習者から、N1の勉強を一通り終え、試験直前の腕試しをしたいという学習者まで幅広く対応できるようにしてあります。著者一同、日本語学校での教授経験や試験の作問経験をもとに、推敲を重ねて練り上げた問題です。また、初めてJLPTを受ける学習者にとってもわかりやすいように、各科目の初めに例題とともに、問題を解く際のポイントなどをまとめました。これらはJLPT対策の授業を担当される先生方にも、役に立つ内容です。

本書がN1合格を目指す方やN1レベルの日本語を教える先生方の手助けとなる一冊になれば幸いです。

また、本書を出版するにあたり、的確なアドバイスをくださったジャパンタイムズ出版日本語出版編集部の皆さんに心から感謝いたします。このほか、本書の作成のためにご協力くださいましたお一人お一人に厚くお礼申し上げます。

2021年5月　五十嵐　香子
佐藤　茉奈花
金澤　美香子
杉山　舞
植村　有里沙

もくじ | CONTENTS

聴解編
Listening

別冊

本書の特長と使い方

本書は、①本冊、②別冊、③音声、④解説の４つで構成されています。

① 本冊

問題

日本語能力試験N1と同じ形式の問題が以下の構成で収録されています。各週、５日分の問題があり、12週間で完成する構成になっています。第１週１日目から順番に進めてもいいですし、苦手な科目だけを選んで解いてもいいでしょう。また、第１週から第12週までの１日分の問題をまとめて解けば、１回分の模擬試験のように使用することもできます。

それぞれの科目ごとに目標解答時間を設定してありますので、見直しも含め、この時間内に解き終わるようにしましょう。（聴解は目標解答時間はありません。）

【問題の構成】

● **言語知識（文字・語彙・文法）編**

第１週　漢字読み・文脈規定
第２週　言い換え類義・用法
第３週　文法形式の判断・文の組み立て
第４週　文章の文法

● **読解編**

第５週　内容理解（短文）
第６週　内容理解（中文）
第７週　内容理解（長文）・統合理解
第８週　主張理解（長文）・情報検索

● **聴解編**

第９週　課題理解・ポイント理解
第10週　概要理解
第11週　即時応答
第12週　統合理解

例題と解き方

言語知識編、読解編、聴解編の初めに、問題の解き方を例題付きで解説しています。問題を解き始める前に、ここで解き方のポイントを確認しておきましょう。

言葉を覚えよう

N1レベルに必要な言葉のリストです。言葉を増やすのに役立ててください。

② 別冊

問題の解答一覧と、聴解問題のスクリプトが収録されています。スクリプトの中で、問題を解くのに重要な部分には下線を付けました。

③ 音声

聴解問題の音声は以下の方法でダウンロードできます。音声は無料です。

・右のコードを読み取って、ジャパンタイムズ出版の音声アプリ「OTO Navi」をスマートフォンやタブレットにインストールし、音声をダウンロードしてください。
・パソコンの場合は以下のURLからmp3音声をダウンロードしてください。
https://bookclub.japantimes.co.jp/jp/book/b570440.html

④ 解説

ジャパンタイムズ
BOOK CLUB

問題の解説はPDFファイルで提供します。右のコードを読み取るか、以下のURLからジャパンタイムズBOOK CLUBにアクセスしてダウンロードしてください。
https://bookclub.japantimes.co.jp/jp/book/b570440.html

言語知識（文字・語彙・文法）編

Language Knowledge (Vocabulary/Grammar)

例題と解き方 ～言語知識（文字・語彙・文法）編～

漢字読み Kanji reading

下線部の漢字の読み方として最もよいものを選ぶ問題である。N1レベルでは読み方を選ぶ問題のみが出題される。

例題1

1 子どもたちが喧嘩（けんか）しないように、ケーキを平等に分けた。

1 へいとう　2 へいどう　3 びょうとう　4 びょうどう

2 昨日は雪が降って、震えるほど寒かった。

1 ふるえる　2 こごえる　3 うえる　4 たえる

文脈規定 Contextually-defined expressions

文脈を考慮しながら、文の空欄に入る正しい言葉を選ぶ問題である。動詞や形容詞から擬音語・擬態語・カタカナ語まで、幅広い語彙力が必要である。

例題2

1 お客様から、購入した商品が不良品だったという（　　）のメールが来た。

1 オーダー　2 クレーム　3 エントリー　4 セールス

2 本を読んでいたら知らない言葉があったので、インターネットで（　　）した。

1 捜査　2 吸収　3 検索　4 交換

言い換え類義 Paraphrases

下線部の言葉と意味が近いものを選ぶ問題である。

例題3

1 弟の秘密をうっかり母に言ってしまった。

1 思わず　2 特に　3 何度も　4 今さら

2 入学願書の提出期限が迫（せま）っている。

1 縮んでいる　2 短くなっている　3 過ぎている　4 近づいている

用法 Usage

下線部の言葉の使い方が正しいものを選ぶ問題である。正答を導くためには言葉の意味を理解するだけでなく、言葉が文の中でどのように使われるかを把握している必要がある。

例題4

1　募集

1　ボランティアに参加希望の方は朝9時に公園に募集してください。
2　恩師や友人に招待状を送って結婚式に募集した。
3　駅前の喫茶店でアルバイトを募集している。
4　その立候補者は国民投票で多くの票を募集して見事に当選した。

STEP 1　下線部以外の意味を確認しよう

まず、下線の言葉の意味は気にせず、選択肢の文を読み、それぞれがどんな場面や状況なのかを確認する。

STEP 2　下線部の言葉が、STEP 1で確認した場面・状況に合っているか確認しよう

「募集」の意味は「広く呼びかけて、必要な人や物を集めること」である。また、「〜を募集する」という形で使われる。

例：「アルバイトを募集する」「商品名のアイディアを募集する」

例題4の解き方

1 ▶「募集」は人や物を集めたい人がすることで、ボランティアに参加したい人がすることではない。また助詞「に」とも合わない。この文の場合、「集合」が正しい。

2 ▶「募集」は不特定多数の人や物を集めることなので、特定の人を集めたい場合には使えない。また助詞「に」とも合わない。この文の場合、「招待」が正しい。

3 ▶ 正答

4 ▶「票」に対して「募集」を使うことはできない。この文の場合、「獲得」や「集めて」が正しい。

文法形式の判断 Selecting grammar form

選択肢の中から文法的に正しい言葉を選び、文を完成させる問題である。言葉の意味だけでなく、どの活用形が使われるかなど文法の知識が必要である。

例題5

1 経営が悪化しているので、このままでは店を（　　　）しかない。

1　閉める　　2　閉めた　　3　閉めない　　4　閉めよう

2 映画（　　　）ずっと話している人たちがいて集中できなかった。

1　の上で　　2　の最中に　　3　に反して　　4　に基づいて

文の組み立て Sentence composition

与えられた４つの選択肢を並べ替えて、正しい文を作る問題である。

例題6

1 昨夜、＿＿＿ ＿★＿ ＿＿＿ ＿＿＿ らしい。

1　によって　　2　高速道路で起きた事故

3　数人がけがをして　　4　病院に運ばれた

STEP 1 選択肢の中から、中心となる文型を見つけよう

中心となる文型がわかれば並び順がわかってくるので、まずは選択肢から文型を見つける。

STEP 2 文型の前後につながる言葉を探そう

文型ごとに、接続できる品詞や形が決まっているため、それをヒントに考える。また、選択肢だけでなく、その前後の言葉との接続も含めて考えていく。

例題6の解き方

①「1　によって」という文型に注目する。「によって」の前に接続するものは名詞なので、この例題の場合、名詞の「2　高速道路で起きた事故」になる。

② 文末の「らしい」の前につながる言葉を探す。動詞のて形は「らしい」につなげられないので、「3　数人がけがをして」ではなく「4　病院に運ばれた」がつながる。

③「1　によって」が原因を表すので、この次にはその結果である「3　数人がけがをして」がつながる。よって、「2　高速道路で起きた事故」「1　によって」「3　数人がけがをして」「4　病院に運ばれた」となり、答えは1である。

STEP 3 完成した文を読んで、きちんと意味が通るか確認しよう

☞ 選択肢の部分だけでなく、その前後とも正しく接続しているか確認する。

☞ 文法的に正しくても、文の意味が通らないこともある。その場合は、もう一度考え直すこと。自分で読んでみて、文の意味を理解できることを確認してから、答えを記入する。

☞「★」の位置は問題によって変わるので、間違えないように注意する。

文章の文法 Text grammar

文章の文法は、長めの文章（評論・エッセイなど）の空欄に合う言葉を選ぶ問題である。文章どうしを正しくつなげたり、文法的に正しい文を完成させたりする能力が問われる。

例題7

以下は、新聞記者が書いた文章である。

これからは、AI（人工知能）のさらなる進化により、人間とは何かが今まで以上に問われる時代に［1］。知識をいかに頭に詰め込むかよりも、その知識をどう使うかという能力が問われると思う。そんな時代に、私たちはこれからの時代を担う若者に何を伝えていけるだろうか。政治、経済、社会、科学技術、文化、どれをとっても人の営みを伝えるものがニュースだ。技術や情報、そしてフェイクニュースですら国境を超える［2］、人と人とのコミュニケーションを一層大切にし、丁寧な取材を心がけ、信頼のできる情報発信に努めていきたい。それは、新しい時代が来ても変わらない。

（ジャパンタイムズ編『英文社説で読む平成』ジャパンタイムズ出版による）

［1］

1 なっていくだろう
2 なっていくものだ
3 なっていっただろう
4 なっていったものだ

［2］

1 時代だからといって
2 時代だからこそ
3 時代というと
4 時代によって

STEP 1 空欄の前後の文を読んで、ヒントになる部分を見つけよう

☞ 空欄の前と後がどのような関係かを把握するためのヒントとなる言葉に注目する。以下はその例である。

①問題提起をする言葉
「～ではないだろうか」「～にはどうすべきだろうか」「～にはどうすればいいだろうか」など
➡これらの後には、筆者の考えや主張が述べられることが多い。

②原因・理由を述べる言葉
「～から」「～ので」「～ため」「～のだ」など
➡これらの前後には、結果や詳しい説明が述べられることが多い。

③時間の関係を表す言葉
「～の後」「～の次に」「～の前は」「それから」「これから」「以前は」「今後は」など
➡これらの前後は、現在、過去、将来のどの時点について述べているかに注意して読む。

STEP 2 STEP 1で見つけたヒントに合う選択肢を選ぼう

☞ 例題７の１番の場合、時間の関係を表す言葉に注目する。空欄の前の文の「これからは」と、空欄の後の文の「問われると思う」から、ここで筆者は、将来のことを想像していることがわかる。将来のことを想像していることを表すのは、「1 なっていくだろう」である。

☞ 例題７の２番の場合、空欄の前の部分で、筆者は「そんな時代」「これからの時代」に何を伝えていけるのかについて問題提起をしている。この部分から、この後で筆者は、これからの時代に我々がすべきことについて、自らの考えを述べると考えられるので、これからの時代を強調する「2 時代だからこそ」が正答となる。

☞ 接続の表現を選ぶ問題が出ることが多いので、意味をきちんと押さえておくこと。

使い方	接続の表現
結論を言う	だから／それゆえ／このように／以上のことから
反対のことを言う	しかし／しかしながら／だが／でも／けれども／それでも／ところが
別の側面について言う	その一方で／他方で／それに対して／それに反して／それとは別に
説明や情報を加える	それに／そして／そのうえ／それに加えて／それだけでなく／ちなみに
他の言葉で言い換える	つまり／すなわち／いわゆる／いわば／言い換えれば／言ってみれば
話題を変える	ところで／さて

例題の答え　例題1 4，1　例題2 2，3　例題3 1，4　例題4 3　例題5 1，2　例題6 1　例題7 1，2

言葉を覚えよう 1

※＿＿＿には意味を調べて書きましょう。

文型・表現

表現	意味	例文
□いかなる〜でも	＿＿＿	いかなる理由でも、遅刻したら試験は受けられません。
□〜いかんによらず	＿＿＿	天候(の)いかんによらず、明日の試合は行われます。
□〜かいがある	＿＿＿	お客様の笑顔を見ると、頑張ったかいがあったと思える。
□〜かたがた	＿＿＿	近日中にお礼かたがたお伺いします。
□〜からする	＿＿＿	100万円からする指輪を買ってプロポーズした。
□〜かれ〜かれ	＿＿＿	どんな仕事でも、多かれ少なかれストレスを感じるものだ。
□〜極(きわ)まりない	＿＿＿	夜中に道で大声を出すなんて、迷惑極まりない行為だ。
□〜ずくめ	＿＿＿	彼女は結婚して、幸せずくめの毎日を過ごしている。
□〜だに…ない	＿＿＿	優しい彼女が殺人事件を起こすとは、予想だにしなかった。
□〜たりとも	＿＿＿	車を運転する時は、一瞬たりとも気を抜いてはいけない。
□〜たるもの	＿＿＿	医者たるもの、患者の命を最優先に行動すべきだ。
□〜てでも	＿＿＿	この新発売のゲームは長時間並んででも買うつもりだ。
□〜といえども	＿＿＿	先生といえども、間違えることはある。
□〜と思(おも)いきや	＿＿＿	先生に怒られる(か)と思いきや、逆にほめられた。
□〜ときたら	＿＿＿	妹ときたら、受験生なのに勉強しないで遊び歩いている。
□〜ともあろう	＿＿＿	弁護士ともあろう人が法律に違反するとは何事だ。
□〜ならいざ知(し)らず	＿＿＿	子どもならいざ知らず、大人が泣くなんてみっともない。
□〜なりに	＿＿＿	彼は仕事の経験が少ないが、少ないなりに努力している。
□〜にかまけて	＿＿＿	忙しさにかまけて、子どもとあまり遊んであげられなかった。
□〜に即(そく)して	＿＿＿	このドラマは、事実に即して作られている。
□〜にたえない	＿＿＿	最近、聞くにたえない悲惨なニュースが多い。
□〜にまつわる	＿＿＿	先輩から留学にまつわる話をたくさん聞かせてもらった。
□〜はおろか	＿＿＿	足をけがして、歩くことはおろか、立つこともできない。
□〜べく	＿＿＿	大学院に進学するべく、様々なサイトから情報を集めた。
□〜までもない	＿＿＿	これぐらいの弱い雨なら、傘をさすまでもない。
□もはや〜だ	＿＿＿	CDで音楽を聞くのは、もはや時代遅れだ。
□ろくに〜ない	＿＿＿	隣の部屋の人が一晩中うるさくて、ろくに寝られなかった。
□〜をいいことに	＿＿＿	親の留守をいいことに、家に友達を呼んでパーティーをした。
□〜をおいて	＿＿＿	この問題を解決できるのは彼をおいてほかにいないだろう。
□〜をものともせず	＿＿＿	その選手はけがをものともせず、金メダルを獲得した。
□〜をよそに	＿＿＿	親の心配をよそに、子どもは毎日遊んでばかりいる。

言葉を覚えよう2

※＿＿＿＿には意味を調べて書きましょう。

名詞

語	意味	例文
□アクセス	＿＿＿＿	駅からのアクセスがいい場所は、たいてい家賃が高い。
□思惑（おもわく）	＿＿＿＿	思惑が外れ、そのビジネスは失敗に終わった。
□格差（かくさ）	＿＿＿＿	所得格差と教育格差には深い関係がある。
□起伏（きふく）	＿＿＿＿	あの人は感情の起伏が激しい。
□権威（けんい）	＿＿＿＿	明日は言語学の権威の先生が講演をなさる。
□こつ	＿＿＿＿	スキーはこつがつかめれば、すぐに上達する。
□根拠（こんきょ）	＿＿＿＿	科学的な根拠がないダイエット方法は危険だ。
□措置（そち）	＿＿＿＿	病気の感染拡大を防ぐため、厳しい措置が取られた。
□治安（ちあん）	＿＿＿＿	この国は犯罪が少なく、治安がとてもいい。
□忠告（ちゅうこく）	＿＿＿＿	何度も忠告をしたのに、彼は酒をやめなかった。
□手分け（てわけ）	＿＿＿＿	迷子になった息子を、家族みんなで手分けをして探した。
□名残（なごり）	＿＿＿＿	この城壁の跡は、かつてこの街が栄えていた時代の名残だ。
□雪崩（なだれ）	＿＿＿＿	スキー場で雪崩が起き、10人が巻き込まれたそうだ。
□ニーズ	＿＿＿＿	消費者のニーズを把握するため、アンケートを取った。
□麓（ふもと）	＿＿＿＿	山の麓に、茶畑が広がっている。
□プロセス	＿＿＿＿	仕事では、結果だけでなくプロセスが大切だ。
□ポスト	＿＿＿＿	このポストは給料がよく、会社のみんなが狙っている。
□ボリューム	＿＿＿＿	この店の定食は、安いのにボリュームがあるので人気だ。
□まぐれ	＿＿＿＿	クイズの答えを適当に言ったら、まぐれで正解した。
□マニュアル	＿＿＿＿	来月仕事を辞めるので、後任のためにマニュアルを作った。
□リスク	＿＿＿＿	株式投資は資産を増やすのに有効だが、同時にリスクも伴う。
□領土（りょうど）	＿＿＿＿	戦争に負け、領土のほとんどを失った。

動詞

語	意味	例文
□言い張る（いいはる）	＿＿＿＿	彼は警察署で、自分は何も盗んでいないと言い張った。
□行き詰まる（いきづまる）	＿＿＿＿	突然メンバーが抜け、プロジェクトは行き詰まってしまった。
□維持する（いじする）	＿＿＿＿	毎日家事や仕事で忙しい中、健康を維持するのは大変だ。
□打ち明ける（うちあける）	＿＿＿＿	本当に信頼している人だけに、自分の秘密を打ち明けた。
□該当する（がいとうする）	＿＿＿＿	会社の応募条件を見て、自分が該当しているか確認した。
□切り出す（きりだす）	＿＿＿＿	彼はとても暗い表情で、別れ話を切り出した。
□くるむ	＿＿＿＿	最近は風呂敷（ふろしき）にくるんで手土産を持っていく人は少ない。

□こじれる ＿＿＿＿＿ 小さな誤解から、人間関係がこじれてしまった。

□こなす ＿＿＿＿＿ 私の上司はどんな仕事でも効率よくこなしている。

□従事(じゅうじ)する ＿＿＿＿＿ 私は以前、物流関係の仕事に従事していました。

□背(そむ)く ＿＿＿＿＿ 昔は、王様の命令に背けば、子どもでも罰せられたという。

□立(た)ち直(なお)る ＿＿＿＿＿ １年経ったのに、まだ失恋のショックから立ち直れない。

□立(た)ち向(む)かう ＿＿＿＿＿ この映画は主人公がドラゴンに立ち向かうシーンが最高だ。

□使(つか)い込(こ)む ＿＿＿＿＿ 彼は会社の金を使い込んだことがばれて、くびになった。

□使(つか)い果(は)たす ＿＿＿＿＿ 貯金を全て使い果たし、明日からの生活に困っている。

□突(つ)き止(と)める ＿＿＿＿＿ 警察はいとも簡単に犯人の隠れ場所を突き止めた。

□取(と)り締(し)まる ＿＿＿＿＿ 事故が増えたため警察は交通違反を厳しく取り締まっている。

□投(な)げ出(だ)す ＿＿＿＿＿ 一度目標を決めたら途中で投げ出さず、最後まで頑張ろう。

□懐(なつ)く ＿＿＿＿＿ 犬を５年も飼っているのに、全然私に懐かない。

□賑(にぎ)わう ＿＿＿＿＿ この商店街は、昼夜を問わず、いつでも賑わっている。

□にじみ出(で)る ＿＿＿＿＿ 彼女が書く文章からは、人柄のよさがにじみ出ている。

□励(はげ)む ＿＿＿＿＿ 息子たちは夏休みの間、毎日サッカーの練習に励んでいる。

□発覚(はっかく)する ＿＿＿＿＿ 従業員の不正が発覚し、その会社の信用は地に落ちた。

□ばてる ＿＿＿＿＿ ゴールまであと１キロのところでばててしまった。

□控(ひか)える ＿＿＿＿＿ 甘いものは控え、なるべく野菜を多く食べるようにしている。

□ほつれる ＿＿＿＿＿ お気に入りのセーターのそでがほつれてしまった。

□見合(みあ)わせる ＿＿＿＿＿ 台風の影響で、新幹線は運転を見合わせている。

□見込(みこ)む ＿＿＿＿＿ 将来の成長を見込んで、その会社の株を大量に買った。

□沸(わ)き起(お)こる ＿＿＿＿＿ 演奏が終わったとたん、拍手が沸き起こった。

副詞

□延々(えんえん)と ＿＿＿＿＿ 会議で上司が延々と話し続け、部下はみんな疲れてしまった。

□かろうじて ＿＿＿＿＿ 必死で走ったところ、かろうじて終電に間に合った。

□極力(きょくりょく) ＿＿＿＿＿ 節電のため、極力エアコンは使わないようにしている。

□ごく ＿＿＿＿＿ この薬は、ごくわずかな確率だが、副作用が出ることがある。

□ことごとく ＿＿＿＿＿ 彼は所持金をことごとく使ってしまった。

□再三(さいさん) ＿＿＿＿＿ 再三注意しているのに、毎回遅刻する学生がいる。

□断然(だんぜん) ＿＿＿＿＿ この二つから選ぶなら、断然駅から近いこっちの部屋がいい。

□てっきり ＿＿＿＿＿ 二人はそっくりなので、てっきり双子だと思っていた。

□到底(とうてい) ＿＿＿＿＿ １年前は到底無理だと思っていたＮ１に合格できた。

□とっさに ＿＿＿＿＿ 苦手な人が前から歩いてきたので、とっさに物陰に隠れた。

□とやかく ＿＿＿＿＿ 子どもが自主的にやることに親がとやかく言うものではない。

第1週 1日目

目標解答時間 10分

＿＿月＿＿日

漢字読み Kanji reading

＿＿の言葉の読み方として最もよいものを、１・２・３・４から一つ選びなさい。

1 この道は踏切があるので渋滞しやすい。

1 ふむきり　2 ふみきり　3 ふむぎり　4 ふみぎり

2 ネジが緩いのでもう一度締め直してください。

1 もろい　2 かたい　3 きつい　4 ゆるい

3 弊社では何より仕事に取り組む姿勢を重視します。

1 しせい　2 しぜい　3 しせえ　4 しぜえ

4 これからはもっと慎重に行動しようと心に誓った。

1 ちんちょう　2 しんちょう　3 ちんじゅう　4 しんじゅう

5 その犬は彼によく懐いているようだ。

1 まごついて　2 なげいて　3 そむいて　4 なついて

6 飲み物なら既に用意してあります。

1 さらに　2 いかに　3 すでに　4 いやに

文脈規定 Contextually-defined expression

（　　）に入れるのに最もよいものを、１・２・３・４から一つ選びなさい。

1 彼は（　　）が外れて残念そうだった。

1 魂胆　　2 下心　　3 本音　　4 思惑

2 あの二人はいつも一緒にいるので（　　）恋人だと思っていた。

1 めっきり　　2 てっきり　　3 こってり　　4 きっかり

3 兄は大学合格という目標に向かってどんどん（　　）いった。

1 突き進んで　　2 突き飛ばして　　3 突き落として　　4 突っぱねて

4 住民は高層ビル建設に激しく（　　）し、工事は一時的に中断された。

1 反論　　2 抗議　　3 口論　　4 反逆

5 最近、体力が（　　）きたので、体操を始めることにした。

1 さびて　　2 やつれて　　3 おとろえて　　4 にぶって

6 新社長は（　　）プロジェクトを発表した。

1 壮大な　　2 豪壮な　　3 広壮な　　4 荘厳な

7 この病院では、５人の医師が（　　）を組み、24時間患者を受け入れている。

1 セクション　　2 ロケーション　　3 ポジション　　4 ローテーション

第1週 2日目

目標解答時間 10分

____月____日

漢字読み Kanji reading

_____の言葉の読み方として最もよいものを、１・２・３・４から一つ選びなさい。

1 昨夜の大雨のせいで、川の水が<u>濁って</u>いる。

1 にごって　　2 くもって　　3 どもって　　4 たまって

2 この辺りでは見たことがない<u>怪しい</u>男が、隣の家に入っていった。

1 めずらしい　　2 いやしい　　3 あやしい　　4 たくましい

3 いくら正論を並べても、皆を<u>納得</u>させられなければ賛成は得られまい。

1 のうどく　　2 のうとく　　3 なっどく　　4 なっとく

4 二人の結婚式は両家の親族が見守る中、<u>厳か</u>に執（と）り行われた。

1 おごそか　　2 はなやか　　3 おろそか　　4 しとやか

5 このドアのロックを<u>解除</u>するには暗証番号の入力が必須です。

1 かいしょ　　2 かいじょ　　3 げしょ　　4 げじょ

6 イベントが大変好評だったため、追加日程を<u>設ける</u>ことになった。

1 しつける　　2 もうける　　3 しかける　　4 さずける

文脈規定 Contextually-defined expression

（　　）に入れるのに最もよいものを、１・２・３・４から一つ選びなさい。

1 思春期の反抗は大人になるために必要な（　　）として受け止めるのがよい。
1 アレンジ　2 プロセス　3 タイミング　4 セクション

2 偶然大学時代の友人に会って、つい1時間も話し（　　）しまった。
1 通して　2 詰めて　3 かけて　4 込んで

3 当社は利益の一部を寄付や支援という形で地域社会へ（　　）していきたいと考えております。
1 還元　2 返還　3 募金　4 譲渡

4 両親を事故で亡くし、兄は大学進学をあきらめて私たちを（　　）くれた。
1 養って　2 稼いで　3 施して　4 労わって

5 彼女は一度も振り返らなかった。彼女との別れは（　　）ものだった。
1 だらしない　2 なにげない　3 あっけない　4 さりげない

6 敵チームは守備が（　　）だから、こちらから攻撃すればすぐに点が奪えるだろう。
1 軽薄　2 手薄　3 強固　4 頑丈

7 彼女はクラスメートの中でも際立って（　　）のできる人間だ。
1 心当たり　2 気負い　3 心配り　4 気心

第1週 3日目

目標解答時間 10分

＿＿＿月＿＿＿日

漢字読み Kanji reading

＿＿＿の言葉の読み方として最もよいものを、1・2・3・4から一つ選びなさい。

1 遅刻しそうになって、<u>慌てて</u>家を出た。

1 あれてて　2 あわてて　3 かれてて　4 かわてて

2 <u>道端</u>に咲く花を写真に収めた。

1 みちばた　2 みちはじ　3 どうたん　4 どうてん

3 走行中にタイヤが<u>破裂</u>すると大変危険だ。

1 はかい　2 はれつ　3 ほうかい　4 ほうれつ

4 <u>柔軟</u>な考え方をすれば、アイディアはいくらでも湧いてくるものだ。

1 じゅうねん　2 ゆうねん　3 じゅうなん　4 ゆうなん

5 <u>名残</u>惜しいですが、もう帰らなければなりません。

1 なごり　2 のこり　3 めいざん　4 みょうざん

6 彼女には<u>淡い</u>色のスカーフがよく似合う。

1 しぶい　2 もろい　3 やわい　4 あわい

文脈規定 Contextually-defined expression

（　　　）に入れるのに最もよいものを、１・２・３・４から一つ選びなさい。

1 プログラムに重大なエラーが（　　　）し、ソフトウェアの更新が行われた。

1 開示　　2 暴露　　3 摘発　　4 発覚

2 帰宅が遅くなり、見たかったテレビ番組を（　　　）しまった。

1 見逃して　　2 見過ごして　　3 見通して　　4 見越して

3 ５歳の娘が妹にお菓子を分ける姿が（　　　）、私は温かい気持ちになった。

1 ねづよくて　　2 めざましくて　　3 ほほえましくて　　4 おっかなくて

4 今ちょっと忙しいので、仕事の（　　　）が立ってから、また連絡させてください。

1 目途　　2 展望　　3 意図　　4 設計

5 中学生のころ、父に（　　　）買ってもらった時計は私の宝物だ。

1 つつしんで　　2 ねだって　　3 おもねて　　4 へりくだって

6 四千年程前にこの地域で（　　　）文明が栄えていたという証拠となる遺跡が発掘された。

1 上等な　　2 高尚な　　3 上級な　　4 高度な

7 彼は（　　　）だから、この映画を見ても泣かないと思うよ。

1 インテリ　　2 ドライ　　3 ロマンチック　　4 タイト

第1週 4日目

目標解答時間 10分

＿＿月＿＿日

漢字読み Kanji reading

＿＿＿の言葉の読み方として最もよいものを、1・2・3・4から一つ選びなさい。

1 大統領の来日にあたり、厳重な警戒態勢が敷かれた。

1 げんちょう　2 がんじゅう　3 げんじゅう　4 がんじょう

2 皆様に楽しんでいただけたのでしたら、これに勝る喜びはありません。

1 まさる　2 たえる　3 かつる　4 こえる

3 自分の失敗を他人のせいにするとは、実に愚かなことだ。

1 おろそかな　2 おおらかな　3 おごそかな　4 おろかな

4 友達から、貸した本を早く返すよう催促するメールが来た。

1 そくせい　2 さいそく　3 ようせい　4 とくそく

5 業務拡大により来年度から採用の枠を広げることにした。

1 わく　2 いき　3 みぞ　4 ふち

6 都会では近所付き合いが煩わしいと感じる人が多いようだ。

1 いまわしい　2 うるわしい　3 わずらわしい　4 そぐわしい

文脈規定 Contextually-defined expression

（　　）に入れるのに最もよいものを、１・２・３・４から一つ選びなさい。

1 売れる商品を生み出すには、消費者の（　　）にあわせた商品づくりが必要だ。

1 ニーズ　　2 ルーズ　　3 ニュアンス　　4 ケア

2 高熱が出たので、医者に解熱剤を（　　）してもらった。

1 処分　　2 処遇　　3 処理　　4 処方

3 山頂から見た景色は（　　）で、自分の存在など小さいものだと感じさせられた。

1 過大　　2 盛大　　3 雄大　　4 大胆

4 この和菓子屋は江戸時代から続く（　　）ある店である。

1 由緒　　2 継承　　3 経歴　　4 因縁

5 毎日、同じことの繰り返しで、変化に（　　）日々を過ごしている。

1 はかない　　2 あさましい　　3 とぼしい　　4 たわいない

6 ニュースによると、容疑者は殺人など犯していないと（　　）いるという。

1 言い付けて　　2 言い寄って　　3 言い聞かせて　　4 言い張って

7 勢いよくそばを（　　）ので、汁がはねてシャツを汚してしまった。

1 つのった　　2 すすった　　3 あせった　　4 うなった

第1週 5日目

目標解答時間 10分

＿＿＿月＿＿＿日

漢字読み Kanji reading

＿＿＿の言葉の読み方として最もよいものを、１・２・３・４から一つ選びなさい。

1 最近は健康のために酒を<u>控えて</u>いる。

1 おさえて　2 きたえて　3 そなえて　4 ひかえて

2 彼は私の頼みを<u>快く</u>引き受けてくれた。

1 こころよく　2 いさぎよく　3 ここちよく　4 かっこよく

3 この地域は<u>織物</u>の産地として有名だ。

1 しきもつ　2 しきもの　3 おりもつ　4 おりもの

4 社内で<u>検討</u>させていただきます。

1 けんとう　2 げんとう　3 けんどう　4 げんどう

5 在庫の<u>有無</u>を問い合わせた。

1 ゆうむ　2 ゆうぶ　3 うむ　4 うぶ

6 当ホテルでは<u>田舎</u>ならではの風景と旬の味が楽しめます。

1 でんしゃ　2 いなか　3 たしゃ　4 いなが

文脈規定 Contextually-defined expression

（　　）に入れるのに最もよいものを、１・２・３・４から一つ選びなさい。

1 長時間の通勤に嫌気がさしたので、会社までの（　　）がいい家に引っ越した。

1 リーチ　　2 ロード　　3 アクセス　　4 ターミナル

2 夫は誰からも好かれ、初対面の人ともすぐに（　　）。

1 打ち込む　　2 打ち解ける　　3 打ち合わせる　　4 打ち消す

3 来年からしばらく海外に（　　）することになったが、国を出たことがないので不安だ。

1 転換　　2 赴任　　3 任命　　4 採用

4 近年この俳優は（　　）活躍を見せている。今年も５本の映画に出演するそうだ。

1 相応（ふさわ）しい　　2 目覚ましい　　3 儚（はかな）い　　4 甚だしい

5 （　　）性格の彼があんなに怒っているなんて、余程のことがあったに違いない。

1 円滑な　　2 良質な　　3 濃厚な　　4 温和な

6 私の行きつけの美容室では、毎回自分でも（　　）がしやすい髪型にしてくれる。

1 手入れ　　2 手際　　3 手触り　　4 手間

7 レース中に聞こえてきた仲間の（　　）に背中を押され、優勝することができた。

1 共鳴　　2 期待　　3 名声　　4 声援

第2週 1日目

目標解答時間 10分

＿＿月＿＿日

言い換え類義 Paraphrases

＿＿＿の言葉に意味が最も近いものを、１・２・３・４から一つ選びなさい。

1 私の案はことごとく上司に却下されてしまった。

1 残らず全て　2 次々と　3 即座に　4 容赦なく

2 妻は気兼ねしているようだった。

1 考えすぎて　2 悩んで　3 遠慮して　4 落ち込んで

3 後藤（ごとう）さんはあやふやに返事をした。

1 簡潔　2 曖昧　3 無難　4 無邪気

4 中野（なかの）さんは引っ越しをしてせわしい日々を過ごしている。

1 むなしい　2 いそがしい　3 わずらわしい　4 おもいがけない

5 過ちを恐れずやってみなさい。

1 非難　2 指摘　3 危険　4 失敗

6 私は彼の発言に憤慨した。

1 恐縮した　2 共感した　3 激怒した　4 困惑した

用法 Usage

次の言葉の使い方として最もよいものを、１・２・３・４から一つ選びなさい。

1 気さく

1 従業員がアイディアを出しやすい気さくな会社です。

2 この本の登場人物は気さくに共感できる。

3 うちの子は誰にでも気さくについて行ってしまう。

4 森田（もりた）さんは誰とでも気さくに話せるので友人が多い。

2 ほつれる

1 浴衣の帯がほつれないように、きつく結びましょう。
2 タオルの糸がほつれてきたので、雑巾にしようと思う。
3 第一志望の会社の面接が終わり、やっと緊張がほつれた。
4 花束がほつれて見栄えが悪いから、片付けてください。

3 見込む

1 彼は親の収入を見込んで、派手な暮らしをしている。
2 母は、動物が好きな人に悪い人はいないと見込んでいる。
3 試験に出る問題を見込んで、集中的に勉強した。
4 観光客の増加を見込んで、宿泊施設が建てられた。

4 とっさに

1 友人に責められ、とっさに嘘をついてしまった。
2 部長の指示で、とっさに報告書を仕上げた。
3 疲れていたのか、とっさに寝てしまった。
4 彼は用件だけ済ませ、とっさに帰って行った。

5 手回し

1 まず、参加者全員にこのプリントを手回ししてください。
2 収穫した柿を持って帰れるように、袋の手回しをお願いした。
3 加藤（かとう）さんの手回しがよく、歓迎会は成功した。
4 すぐに作り始められるように、野菜を切って手回ししておいた。

6 雑談

1 雑談であろうと、上司と話すときは話題に気をつけなければならない。
2 妹は好きなアニメの雑談をインターネットに掲載している。
3 有名人が罪を犯すと、すぐに大きな雑談になってしまう。
4 小山（こやま）さんは試験の前に雑談を言って、みんなを笑わせた。

第2週 2日目

目標解答時間 10分

＿＿＿月＿＿＿日

言い換え類義 Paraphrases

＿＿＿の言葉に意味が最も近いものを、１・２・３・４から一つ選びなさい。

1 スピーチ大会での彼はいくぶん緊張気味に見えた。

1 はなはだ　　2 やや　　3 きわめて　　4 おおいに

2 システムが完全に復旧するには、もう少し時間がかかるだろう。

1 再起動する　　2 元通りになる　　3 老朽化する　　4 廃れる

3 冷たい雨の中、軒先でおびえている子猫を発見した。

1 こわがっている　　2 うなっている　　3 こごえている　　4 うずくまっている

4 このシャツは首回りが窮屈だ。

1 心地よい　　2 不快だ　　3 きつい　　4 ゆるい

5 彼は仕事をぞんざいにすることがある。

1 いい加減に　　2 気まぐれに　　3 効率的に　　4 入念に

6 山の麓(ふもと)にはブドウ畑が広がっている。

1 頂上　　2 中腹　　3 下の方　　4 上の方

用法 Usage

次の言葉の使い方として最もよいものを、１・２・３・４から一つ選びなさい。

1 使い果たす

1 子どもたちは公園でエネルギーを使い果たし、家に帰るなり寝てしまった。

2 掃除用具の使用は自由ですが、使い果たしたら元の場所に戻してください。

3 ペンやノートはきちんと使い果たしてから、新しいものを買ってください。

4 学生時代は部活動に熱中し、学生時代の大半を部活動に使い果たしてしまった。

2 かすむ

1 ラーメンを食べたら、湯気で眼鏡がかすんでしまった。

2 朝日が昇って、次第に景色がかすんできた。

3 少年が投げたボールが私の頭をかすんで、思わず肩をすくめた。

4 雨はあがったが、霧が濃く目の前ですらかすんでよく見えない。

3 円満

1 この橋が完成すれば、円満な物資の輸送が期待される。

2 彼女は何の不自由もない円満な家庭で育った。

3 社長は新商品の売り上げに円満なご様子でした。

4 部長は彼の仕事ぶりは円満だと高く評価している。

4 格差

1 経済が発展する一方、都市部と農村部で収入の格差が生まれている。

2 その議員は格差的発言をして、国民から非難を浴びた。

3 この双子は互いにそっくりで、格差がわからない。

4 空港までなら電車で行こうが車で行こうが、所要時間に格差はない。

5 延々と

1 夫は家では物静かだが、会社ではずいぶん延々としているようだ。

2 飛行機が到着してまもなく乗客が延々と降りてきた。

3 学生時代は友人と飽きもせず延々とくだらない話をしたものだ。

4 彼女の髪の毛は延々としていて美しい。

6 補足する

1 台風が近づいているので、窓が割れないように補足しておこう。

2 こまめに水分を補足しないと、熱中症になるおそれがある。

3 インフルエンザで休んでいるアルバイトの欠員を補足する。

4 資料には書かれていない部分を口頭で補足する。

第2週 3日目

目標解答時間 10分

＿＿月＿＿日

言い換え類義 Paraphrases

＿＿＿の言葉に意味が最も近いものを、１・２・３・４から一つ選びなさい。

1 迷子になった犬を手分けして探した。

1 あきらめないで　2 計画を練って　3 手を抜かず　4 何人かで協力して

2 財布とパスポートだけ持って海外旅行なんて、いかにも私の兄がやりそうなことだ。

1 なおさら　2 まさに　3 わざわざ　4 かろうじて

3 その男の子は、すこやかに育った。

1 おおらかに　2 いさましく　3 優秀に　4 健康に

4 弁解しても仕方がないよ。

1 言い訳　2 訂正　3 知らんふり　4 後悔

5 あまり私をおだてないでください。

1 怒らせないで　2 馬鹿にしないで　3 誘惑しないで　4 得意にさせないで

6 見苦しいことはしたくありません。

1 あらっぽい　2 せわしない　3 みっともない　4 めんどうくさい

用法 Usage

次の言葉の使い方として最もよいものを、１・２・３・４から一つ選びなさい。

1 緩和する

1 春が近づくと、積もった雪が緩和して流れ出す。
2 景気が緩和して、街に活気が戻ってきた。
3 就寝時には締め付けのない緩和した服を着るとよい。
4 この薬には痛みを緩和する効果がある。

2 いきさつ

1 いきさつがはっきりしていない研究結果は信用できない。
2 急に引っ越すことになったいきさつを説明した。
3 家から駅までのいきさつを、地図に書いて示した。
4 申し込みから納品までのいきさつが、来月から変更されます。

3 めくる

1 カレンダーをめくって、来月の予定を確認した。
2 古い絆創膏(ばんそうこう)をめくって、新しいのを貼った。
3 ３分間、中火でステーキの表側を焼いたら、めくって裏側も焼いてください。
4 皿洗いをするときは、袖をめくって濡(ぬ)れないようにする。

4 いたずらに

1 生徒たちがいたずらに授業中に弁当を食べていたので、教師は激怒した。
2 せっかくの休日だが、のんびりしていたらいたずらに時間が過ぎてしまった。
3 近所まで来たので、いたずらにお宅にお邪魔してもいいですか。
4 この装飾品にはいたずらに宝石が使われていてとても美しい。

5 突き止める

1 既に絶滅したと思われていた動物が、ジャングルの奥地で突き止められた。
2 外出前にすべての電気を消したか、突き止めたほうがいい。
3 候補者の中から適切な人材を突き止めることが、人事課の仕事である。
4 研究者たちの努力によって、病気の発生原因が突き止められた。

6 大ざっぱ

1 彼女は片付けが苦手なので、部屋が大ざっぱだ。
2 このリンゴは大ざっぱだが、非常においしい。
3 新企画の予算を大ざっぱに見積もった。
4 汚れてもいい大ざっぱな服装で来てください。

第2週 4日目

目標解答時間 10分

＿＿月＿＿日

言い換え類義 Paraphrases

＿＿＿の言葉に意味が最も近いものを、１・２・３・４から一つ選びなさい。

1 どうせ授業に遅れるなら、いっそ休んでしまおう。

1 やけに　2 すでに　3 とかく　4 むしろ

2 疲れからか、彼女についそっけない態度をとってしまった。

1 つれない　2 あどけない　3 ぎこちない　4 ふがいない

3 そんなうやむやな結論では困る。

1 ややこしい　2 あいまいな　3 さえない　4 いい加減な

4 この戦争は領土の奪い合いから始まった。

1 地域　2 一帯　3 範囲　4 国土

5 ２階の床はきしむので、修理したほうがいい。

1 水漏れする　2 音が鳴る　3 腐っている　4 壊れている

6 彼には何事も誇張して話す癖がある。

1 オーバーに　2 タフに　3 シンプルに　4 ユニークに

用法 Usage

次の言葉の使い方として最もよいものを、１・２・３・４から一つ選びなさい。

1 行き詰まる

1 人間の成長は、遅くても20歳くらいで行き詰まると言われている。
2 人手不足と財政難で、経営に行き詰まってしまった。
3 皆さんの協力のおかげで、最後まで行き詰まることができました。
4 排水管にゴミが行き詰まって、水が流れにくくなっている。

2 かろうじて

1 猛勉強したが、かろうじて不合格になってしまった。
2 かろうじて終電までには帰ってください。
3 あまりお金がありませんが、かろうじて車を買うつもりです。
4 大事故にあったが、かろうじて命だけは助かった。

3 うろたえる

1 少し運動しただけでうろたえるなんて、年を取ったな。
2 彼女に浮気を追及されて、うろたえてしまった。
3 公園にうろたえた人がいたので、警察に通報した。
4 彼は思いがけないプレゼントにうろたえて喜んでいる。

4 拍子

1 帰宅した拍子に電話がかかってきた。
2 来年の３月を拍子に結婚するつもりだ。
3 自転車をよけようとした拍子に、スマホを落としたようだ。
4 暗い道で、拍子に背後から襲われる事件が多発している。

5 精巧

1 先生から精巧にアドバイスをいただいたおかげで、試験に合格できました。
2 事件があった日のことを精巧に話してください。
3 提出する前に、論文の内容を精巧に確認する必要がある。
4 これは偽物だが、実に精巧に作られていて本物と見分けがつかない。

6 ねばる

1 最後までねばったおかげで、勝利をつかむことができた。
2 旧友と久しぶりに会い、話がねばって終電を逃してしまった。
3 この薬は、朝飲むだけで夜までその効果がねばります。
4 昨日の疲れがねばり、今朝はなかなか起きることができなかった。

第2週 5日目

目標解答時間 10分

＿＿月＿＿日

言い換え類義 Paraphrases

＿＿＿の言葉に意味が最も近いものを、１・２・３・４から一つ選びなさい。

1 集合時間を<u>再三</u>確認したにもかかわらず、彼女は１時間も遅刻した。

1 たびたび　2 せっかく　3 とっくに　4 ふたたび

2 <u>ありふれた</u>日常も私にとっては宝物だ。

1 質素な　2 孤独な　3 平凡な　4 半端な

3 村田（むらた）さんはそのトラブルを<u>すみやかに</u>解決した。

1 未然に　2 着々と　3 丁寧に　4 迅速に

4 学生時代を<u>思い返す</u>と、後悔することばかりだ。

1 憶測する　2 推測する　3 予期する　4 回顧する

5 最近、悪質業者からの営業電話が昼夜を問わずかかってくるので<u>うっとうしい</u>。

1 腹立たしい　2 煩わしい　3 手ごわい　4 悩ましい

6 近隣住民からの情報が事件解決の<u>糸口</u>になるかもしれない。

1 ヒント　2 サポート　3 メリット　4 プラス

用法 Usage

次の言葉の使い方として最もよいものを、１・２・３・４から一つ選びなさい。

1 投げ出す

1 彼は上司から注意されたことに腹を立て、仕事を<u>投げ出して</u>帰ってしまった。

2 夕飯ができたから、ゲームは<u>投げ出して</u>さっさと食卓に来なさい。

3 このタオルはもう古くなってしまったから、<u>投げ出して</u>しまおう。

4 野菜の値段が高騰し、その店ではサラダの提供を<u>投げ出して</u>しまった。

2 禁物

1 機内への刃物の持ち込みは禁物となっております。

2 退院したばかりなんですから、休んでください。無理は禁物ですよ。

3 その土地の所有者の許可なく禁物の松茸(まつたけ)を採ってはいけない。

4 その男は若いころに禁物を犯し、刑務所に入っていたことがあるそうだ。

3 忠実

1 この遊園地では、城や町並みなど人気映画の中の世界が忠実に再現されている。

2 目的地まではバスでも行けるが、渋滞を考慮すると電車のほうが忠実だ。

3 彼の寝坊の原因が、昨夜酒を飲みすぎたことであるのは忠実だ。

4 いよいよ明日は母の癌(がん)の手術日だ。成功することを忠実に願う。

4 にぎわう

1 この池には亀や鯉(こい)など多様な生物がにぎわって生活している。

2 久しぶりに故郷の景色を見たら、抱えていた悩みも一瞬でにぎわった。

3 失恋で落ち込んでいる私をにぎわうために、友人が旅行を計画してくれた。

4 湖の周囲には桜がたくさん植えられており、春には大勢の花見客でにぎわう。

5 動向

1 姉の欠点は、何事も深く考えず思いつきで動向を起こしてしまうところだ。

2 彼の真剣な動向や言葉から、仕事に対する熱意が十分伝わってきた。

3 フィリピンの東の海上で台風が発生しました。今後の動向に注意してください。

4 この美術館は間もなく改修工事に入り、来春リニューアルオープンする動向だ。

6 漏れる

1 かばんの中で水筒のお茶が漏れて、教科書がびしょびしょになってしまった。

2 私は母が作る、中まで味が漏れた大根の煮物が大好きだ。

3 2週間ぶりに雨が降り、乾燥していた畑が十分に漏れた。

4 地球温暖化の影響で南極の氷が全て漏れると、海面が約60メートル上昇する。

第3週 1日目

目標解答時間 10分

＿＿月＿＿日

文法形式の判断 Selecting grammar form

次の文の（　　）に入れるのに最もよいものを、１・２・３・４から一つ選びなさい。

1 お世話になった恩師の頼みとあれば、仕事を（　　）駆けつける。

1 休まなくても　2 休んででも　3 休まないまでも　4 休まなくとも

2 このマンションの規約は厳しい。鳥（　　）犬（　　）ペットは飼ってはいけないことになっている。

1 であれ／であれ　2 とて／とて　3 なり／なり　4 とやら／とやら

3 何週間も準備したイベントだったが、悪天候のため参加者はせいぜい50人（　　）そうだ。

1 までのことだった　2 といったところだった
3 に限ったことだった　4 には至らないことだった

4 バランスのいい食生活と適度な運動を心がけることは大事である。（　　）それを毎日実行することは容易ではない。

1 それゆえ　2 ならびに　3 したがって　4 しかしながら

5 部長「安田(やすだ)さん、社長がいつお戻りになるか知っていますか。」
安田(やすだ)「はい。社長は金曜日にお戻りになると（　　）いました。」

1 伺って　2 お伝えして　3 拝聴して　4 おっしゃって

6 野村(のむら)「次期生徒会の会長は川口(かわぐち)さんが適任だと思います。」
吉田(よしだ)「確かに責任感も強いし、いいと思うけど、彼は少し考えすぎる（　　）からね……。」

1 ものと思われる　2 きらいがある　3 極まりない　4 にしのびない

7 聞き手　「優勝おめでとうございます。今の気持ちをお聞かせください。」
代表選手「はい。ミスをしてしまった時も、私を（　　）チームメート、サポーターの皆さんに感謝しています。本当にありがとうございます。」

1 責めんがために戦った　2 責めることなく支えてくれた
3 責めるに至った　4 責めるかのごとく戦った

8 人権を無視した悲しいニュースを見るたびに、世界から差別が（　　　）と強く願う。

1　なくならないものだろうか　　2　なくならないことだろうか
3　なくなるものだろうか　　4　なくなることだろうか

9 （採用試験の説明文で）
一次試験は書類選考となっています。合格者には書面を（　　　）お知らせいたします。

1　もとに　　2　おいて　　3　もって　　4　ふまえて

10 異常気象による野菜の価格高騰は国民の生活に影響を（　　　）にはおかないだろう。

1　及ぶ　　2　及ぼす　　3　及ぼさない　　4　及ぼさず

文の組み立て Sentence composition

次の文の ★ に入る最もよいものを、１・２・３・４から一つ選びなさい。

1 日々多忙な生活を送っていると ＿＿ ＿＿ ★ ＿＿ だろう。

1　悩みが出てくる　　2　仕事を辞めたくなるが
3　暇になったらなったで　　4　今までとは違う

2 医者からやせることを勧められた。運動は嫌いだが、 ＿＿ ＿＿ ★ ＿＿
その分走ったほうがいい。

1　なら　　2　くらい　　3　思い切り食べて　　4　食べないでやせる

3 初孫を楽しみにしていた課長は、ついに ＿＿ ★ ＿＿ ＿＿。

1　とあって　　2　喜びを隠せない　　3　とみえる　　4　おじいちゃんになった

4 私は仕事に誇りを持っている父を尊敬しているが、母は父のことを ＿＿ ＿＿
★ ＿＿ と愚痴（ぐち）っている。

1　付き合いに　　2　かまけて　　3　仕事や　　4　家事に協力的ではない

5 弟はゲームの発売日に朝から長蛇の列に並んだが、 ＿＿ ＿＿ ★ ＿＿
できなかったそうだ。

1　はおろか　　2　手に入れること　　3　すら　　4　予約券をもらうこと

第3週 2日目

目標解答時間 10分

＿＿＿月＿＿＿日

文法形式の判断 Selecting grammar form

次の文の（　　）に入れるのに最もよいものを、１・２・３・４から一つ選びなさい。

1 叔父は大学で西洋史、（　　）ヨーロッパの歴史を研究している。

1 ないしは　2 すなわち　3 ただし　4 それだけに

2 部長「社長の奥様はもういらっしゃった？」
社員「はい。きれいなさくら色のお着物を（　　）。」

1 お越しになっていました　2 うけたまわっておりました
3 お召しになっていました　4 おあがりになっていました

3 山口（やまぐち）「あのアニメ映画どうだった？」
白井（しらい）「君も見に行ってみるといいよ。子ども向けとはいえ、（　　）。」

1 大人でも見るにたえるものだったよ　2 大人が見るまでもないものだけどね
3 大人には見かねるものだよ　4 大人が見ようにも見られないものだったよ

4 彼女はきゃしゃな体つきでありながら、20キロ（　　）荷物を軽々持ち上げた。

1 からいる　2 だけする　3 からある　4 だけある

5 彼女の部屋の家具はデザイン（　　）機能性にも優れているものばかりだ。

1 をよそに　2 に至るまで　3 はおろか　4 もさることながら

6 遠慮せずに私に言ってくだされば、喜んでお手伝いに伺いました（　　）。

1 ものの　2 ものか　3 ものを　4 ものだ

7 山田（やまだ）「佐藤（さとう）くん、えらいね。おばあさんの荷物を持って階段を上がるなんて。」
佐藤（さとう）「えらくなんかないよ。当然のことを（　　）までだよ。」

1 した　2 する　3 させた　4 させる

8 ここは紅葉の名所で、10月の週末（　　）山頂までの道は渋滞する。

1 と相まって　2 ともなると　3 ならでは　4 たるもの

9 自分の不注意でスマホをトイレに落として、（　　　）なんとも言われぬ気持ちになった。

1　泣くだけ泣いた　　2　泣くともなく泣いた
3　泣きに泣いた　　4　泣くに泣けない

10 その政治家の度重なる不適切な発言には（　　　）、彼の人間性の欠如に嫌悪を感じた。

1　失望するのに反して　　2　失望を禁じ得なかったと同時に
3　失望には当たらないばかりか　　4　失望しないまでも

文の組み立て Sentence composition

次の文の＿★＿に入る最もよいものを、１・２・３・４から一つ選びなさい。

1 ８年前から書いている日記は退職＿＿　＿＿　＿★＿　＿＿にはちょうどよいものである。

1　がてら　　2　見返す　　3　暇つぶし　　4　した今

2 彼は人気のドラマシリーズで＿＿　＿＿　＿★＿　＿＿立ち上げ、今や後進の指導にも力を入れている。

1　務める　　2　主役を　　3　かたわら　　4　劇団を

3 モーツァルトは３歳にしてチェンバロという＿＿　＿＿　＿★＿　＿＿と言える音楽家の一人である。

1　生まれながらにして　　2　形がピアノに似た楽器を弾き
3　音楽の才能を備えていた　　4　５歳で作曲をしたと言われており

4 長期の出張から久しぶりに自宅へ戻った。あまりに部屋が汚いので掃除＿＿　＿＿　＿★＿　＿＿になった。

1　全身　　2　まみれ　　3　ほこり　　4　したら

5 台風被害により長らく閉店しておりましたが、皆様からのご支援によって再開することができ、＿＿　＿＿　＿＿　＿★＿なのだと実感したことはありません。

1　あっての　　2　今回ほど　　3　仕事　　4　お客様

第3週 3日目

目標解答時間 10分

＿＿＿月＿＿＿日

文法形式の判断 Selecting grammar form

次の文の（　　）に入れるのに最もよいものを、１・２・３・４から一つ選びなさい。

1 どんなに辛いことが（　　）、希望だけは失ってはいけないと、子どものころに祖母が教えてくれた。

1 起こるにたえて　　2 起ころうとも
3 起こるにひきかえ　　4 起こらんがために

2 高橋（たかはし）「ラケットの持ち方を間違えないでくださいね。」
川田（かわた）「初心者（　　）、そんなミスはしませんよ。」

1 ではあるまいし　2 ともなれば　3 ときたら　4 はおろか

3 応募の際は、郵送（　　）電子メールで履歴書をお送りください。

1 いわゆる　2 いわば　3 もしくは　4 はじめ

4 学園祭の話し合いの途中で、彼は自分には関係がないとでも（　　）向こうに行ってしまった。

1 言わんばかりに　2 言うが早いか　3 言ってこのかた　4 言うべからず

5 井上（いのうえ）「車にぶつかったそうですが、大丈夫ですか。」
山本（やまもと）「ぶつかったといっても、自転車の前輪が曲がっただけでけがもないし、（　　）よ。」

1 心配したかいがありました　　2 心配には当たりません
3 心配極まりないです　　4 心配を禁じ得ません

6 部長の話は同じことの繰り返しできりがない。（　　）ものなら、今すぐ家に帰りたい。

1 帰ろう　2 帰せる　3 帰った　4 帰れる

7 その旅館はこの土地（　　）の食材を使ったディナーが楽しめるので、通年客足が絶えないそうだ。

1 ずくめ　2 の極み　3 を踏まえて　4 ならでは

8 （来客が帰る時）

「何の（　　　）、失礼しました。またいらっしゃってください。」

1　お構いもせず　　2　ご奉仕もせず　　3　お世話もせず　　4　ご遠慮もせず

9 たとえ犯罪者であっても、法律（　　　）裁かれる権利があることを忘れてはいけない。

1　を兼ねて　　2　を境に　　3　に則って　　4　にかまけて

10 鈴木(すずき)君は（　　　）、海外で起業するという幼いころからの夢を叶えた。

1　障害をものともせず　　2　障害もさることながら

3　障害をはばからず　　4　障害のいかんによらず

文の組み立て Sentence composition

次の文の＿★＿に入る最もよいものを、１・２・３・４から一つ選びなさい。

1 貯金はあまりないが、せっかくの ＿＿ ＿＿ ＿★＿ ＿＿ も、どこか違う街へ行って、非日常を楽しみたい。

1　まで　　2　夏休みなので　　3　とは言わない　　4　人気のリゾート地

2 山口(やまぐち)教授の ＿＿ ＿＿ ＿★＿ ＿＿ は不可能だったでしょう。

1　この論文を　　2　なくしては　　3　的確なご指導　　4　書き上げること

3 就職し相応の給料をもらうようになってからも、彼は実家を出ることはなかったが、母親の再婚 ＿＿ ＿★＿ ＿＿ ＿＿ を始めた。

1　一人暮らし　　2　契機　　3　に　　4　を

4 この庭師の丁寧な仕事ぶりは高く評価されていて、＿＿ ＿＿ ＿★＿ ＿＿ くるそうだ。

1　とどまらず　　2　日本国内に　　3　注文が入って　　4　海外からも

5 斎藤(さいとう)君のように普段から ＿＿ ＿★＿ ＿＿ ＿＿ 家にこもってばかりいる人が急に思い立って富士登山をしようなんて、危険だからやめたほうがいい。

1　いざ知らず　　2　運動している人　　3　なら　　4　君のように

第3週 4日目

目標解答時間 10分

＿＿月＿＿日

文法形式の判断 Selecting grammar form

次の文の（　　）に入れるのに最もよいものを、1・2・3・4から一つ選びなさい。

1 不動産屋「この物件は駅から徒歩10分以内で、新築ですよ。」
客　「そうですか、いいですね。（　　）近くにスーパーはありますか。」
1 ちなみに　2 おまけに　3 あるいは　4 さりとて

2 痣（あざ）だらけの体を見るに、この子が両親から虐待を受けていたことは想像に（　　）。
1 たえない　2 たらない　3 かたくない　4 しのびない

3 人種や性別（　　）すべての人には幸福になる権利がある。
1 いかんで　2 いかんでは　3 いかんによらず　4 いかんによっては

4 記者「社長就任にあたり意気込みをお聞かせください。」
社長「はい。何よりもまず、先代の社長の名に（　　）会社経営をしていきたいと思います。」
1 加えて　2 恥じない　3 ひきかえ　4 もまして

5 彼とは（　　）べくして出会った、つまり運命の人だったのだと思う。
1 出会い　2 出会って　3 出会う　4 出会おう

6 教室に先生が（　　）、学生たちは好き勝手騒いでいる。
1 入るか入るまいか　2 入ってこないのをいいことに
3 入ってきたのをさかいに　4 入らずとも

7 （飲み会で）
部下「部長、明日の会議についてですが……。」
部長「いやいや、今は堅い話は（　　）、楽しく飲もうよ。」
1 もとより　2 おろか　3 ぬきにして　4 ものともせず

8 進学する（　　）就職する（　　）、卒業までにこの資格を取っておいたほうがいいですよ。
1 とか／とか　2 やら／やら　3 なり／なり　4 にせよ／にせよ

9 （試合後のインタビューで）

聞き手「優勝おめでとうございます。素晴らしいレースでしたね。」

選手　「はい。彼には一度負けているので、今度こそ（　　　）とがんばりました。」

1　負けようがない　　　　2　負けてなるものか

3　負けるよりほかない　　4　負けるものではない

10 （社内の会社創立30周年記念パーティーで）

司会「では、社長よりご挨拶を（　　　）と思います。では社長、お願いいたします。」

1　賜りたい　　2　傾聴したい　　3　差し上げたい　　4　お受けしたい

文の組み立て Sentence composition

次の文の＿★＿に入る最もよいものを、１・２・３・４から一つ選びなさい。

1 飛行機事故のニュースが報道されていたが、その ＿＿＿ ＿★＿ ＿＿＿ ＿＿＿ であった。

1　事故現場の悲惨さ　　2　映像から見て取れる

3　ときたら　　4　目も当てられないほど

2 とあるパーティーで初めて出会った人に ＿＿＿ ＿★＿ ＿＿＿ ＿＿＿ ので、大変驚いた。

1　家庭環境まで　　2　聞かれた　　3　ならまだしも　　4　名前や職業

3 「河童の川流れ」というのは、その道に優れた ＿＿＿ ＿＿＿ ＿★＿ ＿＿＿ を例えたことわざである。

1　ということ　　2　ですら　　3　稀代の名人　　4　時には失敗をする

4 サーバーへの不正アクセスの原因は、システム設計の ＿＿＿ ＿＿＿ ＿★＿ ＿＿＿ だった。

1　いうべき　　2　もの　　3　落とし穴　　4　とでも

5 新しい大統領は就任スピーチにおいて、国家の ＿＿＿ ＿＿＿ ＿★＿ ＿＿＿ を第一に考えた政策を行っていかなければならないと語った。

1　のこと　　2　最高責任者　　3　国民　　4　たるもの

第3週 5日目

目標解答時間 10分

＿＿＿月＿＿＿日

文法形式の判断 Selecting grammar form

次の文の（　　）に入れるのに最もよいものを、1・2・3・4から一つ選びなさい。

1 前田（まえだ）「先輩、昇進おめでとうございます。」
小池（こいけ）「ありがとう。まあ、昇進した（　　）、給料はあまり変わらないんだけどね。」
1 からには　2 とあれば　3 だけあって　4 とはいうものの

2 私の地元のお菓子を送らせていただきました。（　　）いただければ幸いです。
1 お気になさって　2 お気に召して　3 頂戴して　4 お目にかかって

3 母「学生は気楽でいいよね。毎日遊んでいられて。」
娘「そんなことないよ。学生は学生（　　）大変なんだから。」
1 にして　2 なりに　3 に則って　4 ならでは

4 そのカメラマンは周囲の反対を（　　）、紛争中の危険な地域に向かった。
1 よそに　2 めぐって　3 もとに　4 機に

5 （　　）かれ（　　）かれ、人は必ず死ぬのだから、後悔のない人生を送りたい。
1 遅い／早い　2 遅く／早く　3 遅くな／早くな　4 遅／早

6 試験に合格できたので、（　　）かたがたお世話になった先生に手紙を書くことにした。
1 報告する　2 報告し　3 報告　4 報告の

7 まさか自分が有名な女優と結婚することになるなんて、想像（　　）。まるで夢のようだ。
1 するべからず　2 しないではすまなかった
3 してはかなわない　4 だにしなかった

8 愛知県（あいちけん）豊田市（とよたし）の「豊田（とよた）」という名称は、市内にトヨタ自動車の本社があることに（　　）。
1 まつわる　2 ともなう　3 由来する　4 起因する

9 今のあなたがＮ１に合格（　　　）はっきりとは言えないが、努力次第では夢ではないと思う。

1　できるか否か　　2　できるや否や

3　しようがしまいが　　4　しようかしまいか

10 家族のためにも、生命保険に（　　　）が、保険料が家計を圧迫している場合は見直しが必要だ。

1　入っているに越したことはない　　2　入るといったらない

3　入っていることはない　　4　入るおそれがある

文の組み立て Sentence composition

次の文の ★ に入る最もよいものを、１・２・３・４から一つ選びなさい。

1 テレビの討論番組に出演した平野(ひらの)氏は、＿＿ ＿＿ ★ ＿＿ をしたことで辞任に追い込まれてしまった。

1　ともあろう　　2　差別的な発言　　3　政治家　　4　人が言ってはいけない

2 私は ＿＿ ★ ＿＿ ＿＿ 歌やダンスのレッスンを受けるなど、日々努力している。

1　歌手になる　　2　実現するべく　　3　という　　4　幼少期からの夢を

3 来月、大阪へ転勤することになった。私の ＿＿ ＿＿ ★ ＿＿ と考えていたので、後任として推薦することにした。

1　森山(もりやま)さんを　　2　任せられるのは

3　大事な顧客を　　4　おいてほかにいない

4 今さら ＿＿ ★ ＿＿ ＿＿ ことを今後に生かせばいいのである。

1　ものの　　2　結果が変わることはない

3　失敗から学べる　　4　悔やんだところで

5 街を裸で歩いていた男が、駆けつけた警察官に逮捕された。その際、彼は自分は何もしていないと叫んでいたそうだが、言う ＿＿ ★ ＿＿ ＿＿ は犯罪である。

1　裸で　　2　街を歩く　　3　までもなく　　4　こと

第4週 1日目

目標解答時間 10分
＿＿月＿＿日

文章の文法 Text grammar

次の文章を読んで、文章全体の趣旨を踏まえて、［1］から［5］の中に入る最もよいものを、1・2・3・4から一つ選びなさい。

1 孤独は人生の大切な時間

自分は孤独で不幸な人間だと思っている人は、少なくない。そう考える人は、「孤独であること＝不幸」というとらえ方を無意識のうちに［1］。あるいは、孤独というのは、避けるべきよくないことだと考えているのではないだろうか。

5 そこで、［2］問いかけてみる。孤独とは、本当によくないことなのだろうか、と。

そういう問題について考える時に大事なのは、物事には、多くの場合、二面性があるというとらえ方だ。確かに、孤独という状態には、寂しい、辛い、話し相手がいない、誰も［3］、楽しそうにしている人たちを見ると自分がみじめに思える、といった負の感情をもたらす側面がある。

10 しかし、大きく深呼吸をして、孤独というものに対し距離を置いて考えてみる。あるいは、人生全体の山あり谷ありの長い時間の中に置いて、孤独な時期がもたらすものについて考えてみる。すると、誰にも邪魔されないで過ごせる、静かに本を読み耽(ふけ)ったり音楽を聴いたりすることができる、出しゃばらず(注1)他者に迷惑をかけないでいられる、人生や生きることについて深く考えるようになる、何事につけ思慮深(しりょぶか)く(注2)なる、悲しみや辛
15 さをかかえた人の心を理解できるようになる、といったポジティブ（肯定的）な側面があることに［4］。決して「孤独であること＝不幸」ではないのだ。

むしろ孤独とは、内面的な成熟への大切な試練と学びの時間なのだと受け止めたほうがよい。そう思えた時、心豊かな人生に向けて［5］。

（柳田邦男『自分を見つめるもうひとりの自分』佼成出版社による）

（注1）出しゃばる：自分には関係のないことに口出しや手出しをすること
（注2）思慮深くなる：物事を深くよく考えるようになること

1

1　前提にさせないのである
2　前提にしているのではなかろうか
3　前提にしないようにしているのだ
4　前提にせざるを得ないと思っている

2

1　あらかじめ　　2　いっそ　　3　おそるおそる　　4　あえて

3

1　理解させない　　2　理解させられない
3　理解してくれない　　4　理解してやらない

4

1　気づかない　　2　気づくだろう　　3　気づくのか　　4　気づくまい

5

1　一歩踏み出したと言えるだろう
2　一歩踏み出そうとするのだろう
3　一歩踏み出す必要がなくなるのだろう
4　一歩踏み出せなくなっていくのだろう

第4週 2日目

目標解答時間 10分

＿＿月＿＿日

文章の文法 Text grammar

次の文章を読んで、文章全体の趣旨を踏まえて、［1］から［5］の中に入る最もよいものを、1・2・3・4から一つ選びなさい。

失敗はたしかにマイナスの結果をもたらすものですが、その反面、失敗をうまく生かせば、将来への大きなプラスへ転じさせる可能性を秘めています。事実、人類には、失敗から新技術や新たなアイデアを生み出し、社会を大きく発展させてきた歴史があります。

これは個人の行動にも、そのままあてはまります。どうしても起こしてしまう失敗に、どのような姿勢で臨むかによって、その人が得るものも異なり、成長の度合いも大きく変わってきます。つまり、失敗とのつき合い方［1］、その人は大きく飛躍するチャンスをつかむことができるのです。

人は行動しなければ何も起こりません。世の中には失敗を怖れるあまり、何ひとつアクションを起こさない慎重な人もいます。それでは失敗を避けることはできますが、その代わりに、その人は何もできないし、何も得ることができません。

［2］、失敗することをまったく考えず、ひたすら突き進む生き方を好む人もいます。一見すると強い意志と勇気の持ち主のように見えますが、危険を認識できない無知が背景にあるとすれば、まわりの人々にとっては、ただ迷惑なだけの生き方でしょう。

おそらくこの人は、同じ失敗を何度も何度も繰り返すでしょう。現実に、失敗に直面しても真の失敗原因の究明を［3］、まわりをごまかすための言い訳に終始する人も少なくありませんが、それではその人は、いつまでたっても成長しないでしょう。

また人が活動する上で失敗は［4］、それが致命的なものになってしまっては、せっかく失敗から得たものを生かすこともできません。その意味では、予想される失敗に関する知識を得て、それを念頭に置きながら行動することで、［5］ということも重要です。

（畑村洋太郎『失敗学のすすめ』講談社による）

1

1 いかんで　2 にかぎり　3 のみならず　4 にかかわらず

2

1 これと同様に　2 これに比例して
3 これとは正反対に　4 これとは別に

3

1 行うべく　2 行わんがために　3 行おうか否か　4 行おうとせず

4

1 避けられるともすれば　2 避けられないとはいえ
3 避けられるとばかりに　4 避けられないとあって

5

1 必要な失敗を繰り返す　2 必要な挑戦を選ぶ
3 不必要な挑戦はしない　4 不必要な失敗を避ける

第4週　3日目

目標解答時間　10分

＿＿＿月＿＿＿日

文章の文法 Text grammar

次の文章を読んで、文章全体の趣旨を踏まえて、［ 1 ］から［ 5 ］の中に入る最もよいものを、1・2・3・4から一つ選びなさい。

　近代以前、個々人の価値観は、家族や共同体に縛られ、今と比べれば圧倒的に自由ではありませんでした。好むと好まざるとに［ 1 ］、お上（かみ）(注1)に忠誠を尽くし、親の決めた相手と結婚し、代々同じ職業を続ける、といったことが、当然のこととされていたのです。そこには、言論の自由も、思想信条の自由も、財産や時に生命の自由さえもありませんでした。

　しかし近代以降、ということは、各人が＜自由＞で対等な存在であるというルールが少なくとも建前（たてまえ）(注2)上は定められて以降、わたしたちは、他者をひどく傷つけるのでない限り、どのような価値観を持とうが自由である、という社会的な合意を、まだまだ不十分ではあったとしても、とりあえずは［ 2 ］。そしてこのことは、やはりわたしたちの＜自由＞の、最も重要な条件の一つであるのです。

　しかしこの価値観の多様化の進展が、皮肉な［ 3 ］に、今日ではまた新たな問題を生み出しています。明確な価値が失われてしまった今、わたしたちは何を確固（かっこ）(注3)たる目標として生きていけばいいか分かりづらくなり、そしてまた、価値の拠（よ）り所（どころ）(注4)を失ってしまった集団の中で、空気を読み合う人間関係を多かれ少なかれ［ 4 ］。

　しかしだからといってわたしたちは、この価値観の多様化に抗（あらが）い、ふたたびこれを［ 5 ］、などというわけにはいかないでしょう。先述した通り、価値観の多様性を承認することこそが、＜自由の相互承認＞の根本条件だからです。

（苫野一徳『教育の力』講談社による）

（注1）　お上：その時代の政治を執り行う機関
（注2）　建前：表向きの考え方
（注3）　確固たる：確かな
（注4）　拠り所：支えてくれるもの

1

1　まつわり　　2　かかわらず　　3　かこつけて　　4　よっては

2

1　獲得するばかりなのです　　2　獲得するにかたくありません
3　獲得するきらいがあるのです　　4　獲得するにいたりました

3

1　もの　　2　こと　　3　ところ　　4　よう

4

1　送らなければならなくなっているのです
2　送ったことになっているのです
3　送るに越したことはないのです
4　送るまでもないのです

5

1　統合すべきではない　　2　統合するまでもない
3　統合しなければならない　　4　統合しようもない

第4週 4日目

目標解答時間 10分
＿＿月＿＿日

文章の文法 Text grammar

次の文章を読んで、文章全体の趣旨を踏まえて、[1]から[5]の中に入る最もよいものを、1・2・3・4から一つ選びなさい。

1 コンビニエンスストア本部が加盟店に24時間営業を押しつければ、独占禁止法(注1)に違反する可能性がある。そう警告する報告書を、公正取引委員会(注2)がまとめた。

人手不足の中、コンビニは深夜勤務の従業員を確保するのが難しい。このため、営業時間の短縮を求める加盟店が増えている。公取が大手8社を対象に行った調査では、約
5 7割が希望していた。

しかし、見直しの動きは鈍い。この1年半で時短(注3)に踏み切った店舗は[1]。本部は24時間営業を続けたいのが本音(ほんね)だ。

背景には、加盟店との契約方式がある。店舗の売上高が伸びる[2]本部の収益も増える仕組みだ。本部は営業時間を長くして、売上高を増やそうとする。

10 [3]、多くの加盟店にとって深夜営業はデメリットも大きい。深夜帯は人件費などのコストがかさむ割に売上高が少なく、店舗の利益を押し下げがちだ。

24時間営業に限らず、本部と加盟店で利害が対立するような契約や取引、店舗戦略は多い。

一定地域に集中して出店する「ドミナント戦略」もその一つだ。本部にとっては商品配送の効率が高まるといった利点があるが、加盟店は顧客を奪い合う形になり、収益が[4]。

15 加盟店は店舗運営のノウハウ(注4)や商品を本部に依存している。その弱い立場につけ込んで、本部が加盟店に不利な取引を押しつけることは許されない。

コンビニの経営は転機を迎えている。人口減少などで、2019年末の店舗数は初めて前年比で減少に転じた。

成長期には本部と加盟店が利益を分け合えたが、売上高の伸び悩みと人件費の上昇に
20 直面し、収益の基盤が揺らいでいる。

一方で、公共料金の支払いや住民票の発行、災害時の物資供給拠点としての活用など、社会インフラとしての機能を期待されるようになった。公取が独禁法をちらつかせて改革を迫るのは、このような側面を[5]。

安定的に店舗を運営できる仕組みの再構築が急務だ。ITを活用した店舗の無人化や省
25 力化も検討されている。こうした経営の革新で、新たなコンビニのあり方を模索してほしい。

（毎日新聞2020年9月9日付朝刊による）

（注１） 独占禁止法：公正な競争環境を保つための法律。「独禁法」と略される。
（注２） 公正取引委員会：公正な市場取引を監視する委員会。「公取」と略される。
（注３） 時短：時間の短縮
（注４） ノウハウ：技術や知識、経験に関する情報

1

1 約４％に限らない　　2 約４％に過ぎない
3 約４％にとどまらない　　4 約４％に相違ない

2

1 ほど　　2 くらい　　3 さえ　　4 より

3

1 これにしては　　2 これにつけて　　3 これに対し　　4 これに向けて

4

1 悪化するというものではない　　2 悪化しないとでもいうべきだ
3 悪化しない次第である　　4 悪化しかねない

5

1 考慮するというのだ　　2 考慮したためだろう
3 考慮するのだそうだ　　4 考慮したまでのことだ

第4週 5日目

目標解答時間 10分

＿＿月＿＿日

文章の文法 Text grammar

次の文章を読んで、文章全体の趣旨を踏まえて、［1］から［5］の中に入る最もよいものを、1・2・3・4から一つ選びなさい。

1　小さい頃からあなたのことをよく知っている「お母さん」は、あなたの「面倒」を見て、最もうまく「面倒くささ」を消し去ってしまう名人です。そんな人とずっといたら、どうなるか――答えは明らかです。

大人になっても大好物のハンバーグを作ってくれて、オムライスには絶対にグリーンピー
5　スは入れない、「なすは嫌いだって知ってるだろ」と言えば、「ごめんね」と黙って食卓から下げてくれます。［1］、お風呂に入れば下着まで用意してくれて、朝、家を出る際には黙ってアイロンのかかったハンカチまで出してくれるんです。（中略）

結婚とは、今までまったく別の環境で育った人間同士が一緒に暮らそうとする、かなり強引な行為です。恋人の期間が長かったとしても日常でのかかわり方が一気に増える
10　ことになります。異なった「面倒の見られ方」をしてきた2人が、今までを基準に互いを、あるいは一方が面倒を［2］。

そんなときに、ずっと「お母さん」に面倒を見てもらってきた人は、とてつもない不満を感じてしまうのです。風呂から出ても下着が用意されていない、食卓のテーブルがきれいに拭かれていない、果ては、固定電話にカバーを掛けていないこと［3］気に
15　なり始めます。

（中略）

それを避けるにはどうすればよいでしょうか？　経済的な事情もあるでしょうから学生時代はまだしも、社会に出たら、絶対に1人暮らしをするべきです。今まで「お母さん」がやってくれたことがどれだけ面倒なことかを［4］。洗濯物はすぐたまるし、冷蔵
20　庫の野菜はすぐ腐るんです。

生きることって本当に面倒なんですよ。でも、いい加減な暮らしをしていると、どう繕おうが、必ず表面に表れてしまうのです。「君は部屋が汚いでしょう？」と、そういう予言をよくしますが、まず外れたことはありません。

1人暮らしをして、生きることそのものの面倒さを知り、「お母さん」をリセットし
25　てしまえば、自分が選んだ相手のやり方が多少違ったところで、自分がやっていたときよりはいいな、と愚痴（ぐち）を［5］。

（林修『いつやるか？ 今でしょ！』宝島社による）

1

1　そうとはいえ　　2　それにせよ
3　それにしては　　4　それだけではなく

2

1　見始めてきたのです　　2　見始めるのです
3　見始めてはいられません　　4　見始めるまでのことです

3

1　まで　　2　より　　3　は　　4　ぐらい

4

1　身をもって知ったのです　　2　身をもって知る限りです
3　身をもって知るべきです　　4　身をもって知ったわけです

5

1　こぼしてやみません　　2　こぼさずに済むのです
3　こぼすにかたくありません　　4　こぼすのだそうです

言葉を覚えよう 3

※＿＿＿には意味を調べて書きましょう。

い形容詞

□あくどい	＿＿＿	あの会社はあくどい商売をすることで有名だ。
□あさましい	＿＿＿	人をだまして儲けるなんてあさましい考えは捨てなさい。
□あっけない	＿＿＿	その映画のあっけない終わり方に、みんな驚いてしまった。
□怪(あや)しい	＿＿＿	夜になると怪しい人が近所を歩き回っていて、とても怖い。
□淡(あわ)い	＿＿＿	私は代表選手に選ばれるかもしれないと淡い期待を抱いていた。
□痛(いた)ましい	＿＿＿	痛ましい事故のニュースを見て、気持ちが沈んでしまった。
□著(いちじる)しい	＿＿＿	日本は1960年代から1970年代にかけて著しい発展を遂げた。
□うっとうしい	＿＿＿	髪の毛が伸びてきてうっとうしいので早く切りたい。
□心細(こころぼそ)い	＿＿＿	初めての一人暮らしは誰だって心細いものだ。
□快(こころよ)い	＿＿＿	上司に異動の希望を伝えたら、快い返事をもらえた。
□さりげない	＿＿＿	デート中の彼のさりげない心遣いがとても嬉しかった。
□騒(さわ)がしい	＿＿＿	家の外が騒がしいと思ったら、近所で強盗事件があったらしい。
□すがすがしい	＿＿＿	長かった試験期間が終わり、今はとてもすがすがしい気分だ。
□せわしい	＿＿＿	育児に仕事にと、せわしい日々を送っている。
□そっけない	＿＿＿	忙しい時に話しかけられて、そっけない返事をしてしまった。
□たくましい	＿＿＿	彼は意志が強く、たくましい精神を持っている。
□だるい	＿＿＿	朝から熱があり、体がだるいので、会社を休むことにした。
□乏(とぼ)しい	＿＿＿	エネルギー資源の乏しい日本は海外からの輸入に頼っている。
□つれない	＿＿＿	好きな人に対して、ついつれない態度を取ってしまった。
□嘆(なげ)かわしい	＿＿＿	A国は、敵対するB国の攻撃を嘆かわしい行為だと非難した。
□望(のぞ)ましい	＿＿＿	会社で働く前に、ITスキルを身に付けていることが望ましい。
□甚(はなは)だしい	＿＿＿	自分が一番えらいと思っているなんて、勘違いも甚だしい。
□華々(はなばな)しい	＿＿＿	その歌手は何千という観客を前に華々しいデビューを飾った。
□幅広(はばひろ)い	＿＿＿	その俳優は若者からお年寄りまで、幅広い層から人気がある。
□ほほえましい	＿＿＿	子犬が遊んでいる様子は、見ていてとてもほほえましい。
□紛(まぎ)らわしい	＿＿＿	学校に似ている名前の先生が二人いて、紛らわしい。
□目覚(めざ)ましい	＿＿＿	この10年の間にロボット技術は目覚ましい進歩を遂げた。
□もどかしい	＿＿＿	留学中、日本語で言いたいことが言えず、もどかしかった。
□ややこしい	＿＿＿	キムさんは頭がよく、ややこしい計算もすぐにできてしまう。
□緩(ゆる)い	＿＿＿	その靴は緩いので、歩いていると脱げそうになる。
□煩(わずら)わしい	＿＿＿	顔認証システムの導入で出国前の煩わしい手続きがなくなった。

読解編

Reading

例題と解き方 ～読解編～

内容理解／主張理解 Comprehension/Thematic comprehension

➤ 評論・解説・小説・エッセイ

長めの文章を読み、概要、筆者の考え・主張などを理解できるかを問う問題である。200字程度の「短文」、500字程度の「中文」、1000字程度の「長文」の3パターンがある。

例題１

以下は、新聞記者が書いた文章である。

もちろん、最近はツイッターやフェイスブックも欠かせない情報ツールになってきているのはご承知のとおり。自分の目に付かなかった情報が誰かのツイートやフェイスブックで「この記事面白いよ」という形で紹介されていて、「あ、こんなことがあったんだ」と自分のレーダーに引っかからなかったことにも出会えるからです。ツイッターで興味のある分野の専門家のフォロワーになっておくと、その人の主張や分析などもわかり、何か事件が起きたときにその人に取材させてもらうかどうかの判断材料にもなるので、とても便利です。

（中略）

今やネット上にはさまざまな情報があふれています。そして最近は、インターネット、特にツイッターで注目を浴びて、そのあと一般紙で取り上げられるという出来事も多くなっています。もちろん、ネットだけに頼るやり方では正確な情報はつかめないし、ネット上の情報には、信頼できる情報、噂話などが混在しています。それでも、さまざまな情報ツールを駆使していち早く情報をキャッチし、そこからさらに深い取材をしなければ、時代の流れを見誤ってしまうばかりか、記者の存在意義までも問われることになりかねません。

（大門小百合『The Japan Times 報道デスク発 グローバル社会を生きる女性のための情報力』ジャパンタイムズ出版による）

下線の直後の文をよく読もう。「から」によってここに理由が書かれていることがわかる。

逆接の接続詞。この後に筆者の意見や主張が書かれている。

1 最近はツイッターやフェイスブックも欠かせない情報ツールになってきているとあるが、それは なぜか。

1 世界中で使用され、多くの情報が集まっているから

2 自分が見落としていた情報にも気付くことができるから

3 専門家が自分の主張や分析を発表しているから

4 場所や時間を問わず手軽に調べられ、非常に便利だから

問い方に注目。「なぜか」とあるので理由を表す表現に注目して本文を読もう。

2 この文章の内容として最も適切なものはどれか。

1 今はインターネット上で注目されたものを新聞で取り上げるのが一般的だ。

2 インターネット上の情報は噂話などの到底信用できないものばかりだ。

3 今の記者は素早く情報をつかみ、より深く取材をすることが求められる。

4 記者はツイッターやフェイスブックを取材のために利用すべきではない。

STEP 1 質問を読んで、読むポイントをつかもう

☞いきなり本文を読み始めても、情報が多すぎて問題が解けないことが多い。まずは質問を読み、「本文から何を探さなければならないか」をつかんでから、読み始める。

☞よく出る質問のパターン

①文章全体の意味を理解しているかを問う質問

[主張・意見] 「筆者が最も言いたいことは何か」「筆者の考えに合うものはどれか」

[内容理解] 「この文章の内容として最も適切なものはどれか」

②文章の部分的なところを正確に読み取れているかを問う質問

[指示語の説明] 「これ／それはどういう意味か」

[主語・対象語] 「～はだれか」「～は何か」

[原因・理由] 「～はなぜか」「どうして～か」

[言い換え・説明] 「～はどういう意味か」「～は何を指しているか」

STEP 2 本文を読んで、答えを探そう

繰り返し出てくる言葉は、キーワードである。キーワードが含まれる文は注意して読む。

［主張・意見］を探すときは、以下の①～④をチェックする。

①最後の段落
筆者の主張や意見は最後の段落にまとめてあることが多い。

②主張を表す表現
～と思う／～と考える／～はずだ／～に違いない／～に相違ない／～にほかならない　など

③否定疑問文
～ではないだろうか／～ではあるまいか　など

④以下の接続詞を含む文
・逆接の接続詞：しかし／けれども／だが／それでも　など
・言い換えの接続詞：つまり／すなわち／いわゆる　など
・結論を表す接続詞：このように／以上のことから　など

［指示語の説明］［主語・対象語］の場合、その直前・直後に具体的な例などのヒントがあることが多い。まず、それらが含まれる文をよく読んで、内容をつかむ。それから、その文の前後から答えを探す。

例：その人とあるが、だれか。

> ツイッターで興味のある分野の専門家のフォロワーになっておくと、その人の主張や分析などもわかり、何か事件が起きたときにその人に取材させてもらうかどうかの判断材料にもなるので、とても便利です。

ツイッターで興味のある分野の専門家のフォロワーになっておくと、その人の主張や分析などもわかり、

［原因・理由］の場合は、以下の表現に注目して、答えを探す。
～から／～ので／～くて／～し～し／～んです／～ものだから／～ため／～によって／～ゆえに　など

［言い換え・説明］の場合は、以下の表現に注目して、答えを探す。
～とは…のことである／～というのは…ということだ／～とはすなわち…である／～といえば…であろう　など

➤ お知らせ文・メール文

内容理解（短文）には、200字程度のお知らせ文またはメール文の問題が出ることがある。

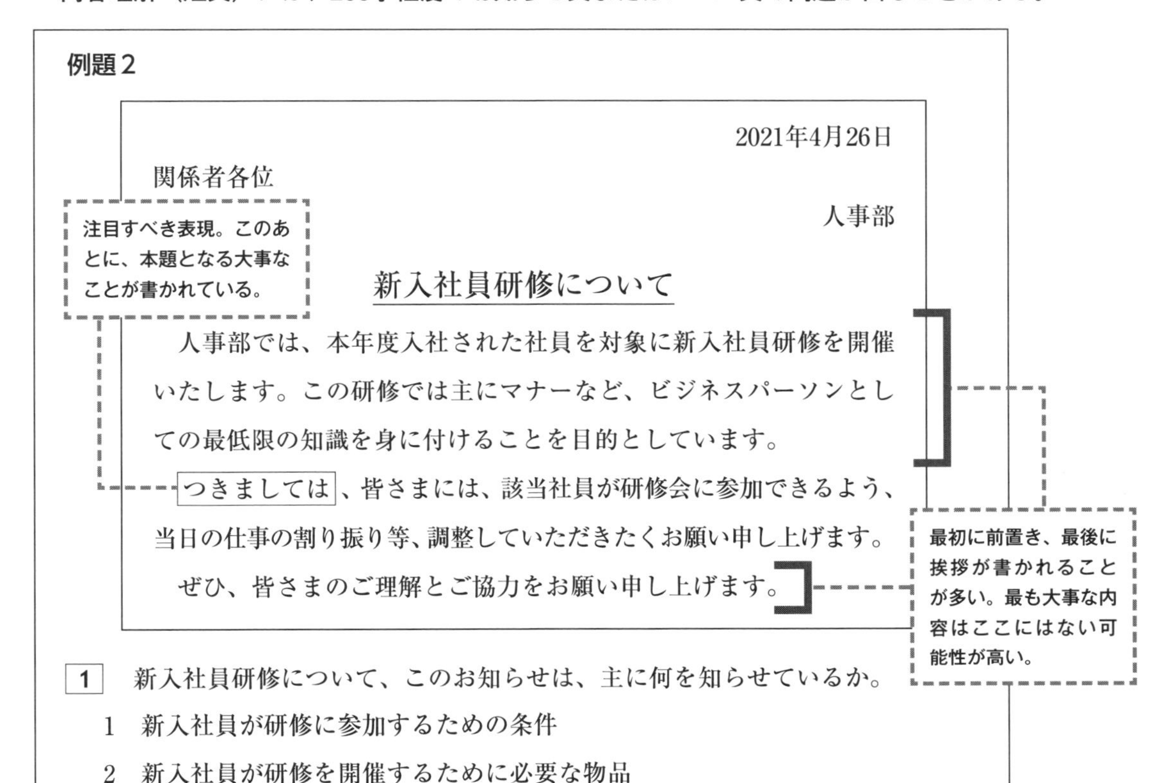

例題２

2021年4月26日

関係者各位

人事部

新入社員研修について

人事部では、本年度入社された社員を対象に新入社員研修を開催いたします。この研修では主にマナーなど、ビジネスパーソンとしての最低限の知識を身に付けることを目的としています。

つきましては、皆さまには、該当社員が研修会に参加できるよう、当日の仕事の割り振り等、調整していただきたくお願い申し上げます。

ぜひ、皆さまのご理解とご協力をお願い申し上げます。

1　新入社員研修について、このお知らせは、主に何を知らせているか。

1　新入社員が研修に参加するための条件
2　新入社員が研修を開催するために必要な物品
3　新入社員が研修に参加するための業務調整の依頼
4　新入社員が研修で行わなければならない課題

STEP 1　質問を読んで、何を探せばいいか把握しよう

①全体的な内容を問う質問

[目的]　「この文章は何を知らせているか」「この文章の目的は何か」

[タイトル・件名]　「この文章のタイトルは何がいいか」「このメールの件名として最も適切なものはどれか」

②部分的な内容を問う質問

[値段・期日・期間]　「〜はいくらか」「〜はいつか」「〜はいつからいつまでか」

STEP 2　本文を読んで、答えを探そう

👉 全体的な内容についての質問なら、文章から答えを探す。その際は手紙やメール、お知らせなどの一般的な形式を思い出す。
※これから本題へ入ることを知らせる言葉「さて」「この度」「つきましては」などは要注意。

👉 **[値段・期日・期間]** は、文章ではなく数字やリストの中に答えが隠れていることが多い。

統合理解 Integrated comprehension

一つのテーマについて書かれた複数の文章を読んで、それぞれの立場、意見を比較したり、統合したりしながら答えを導き出せるかを問う問題である。

例題3

A

子供は外国語を覚えるのが速いと言われますね。もちろん、頭がまだ柔らかいから、などの理由もあるのでしょうが、「表現において背伸びしない」というのも大きな要素だと僕は考えています。（中略）

ビギナーは、まずビギナー向けのことから始めるというのが、何事においても上達の基本。大人の学習者の皆さんは、一度子供になったつもりで、単純な言い回しを使って単純なことだけを表現してみましょう。

（高橋敏之『英語 最後の学習法 英字新聞編集長が明かす「確実に効果の出る」メソッド』ジャパンタイムズ出版による）

B

どんなに評判のいい勉強法でも、あなたにとって難しすぎたら続きません。私も「字幕なしで外国語の映画を見る」とか「外国語の本を読んで語彙を覚える」とかいうのを真に受けて、やってみては挫折するというのを繰り返してきました。しかし勉強法はあくまで他の誰かが成功した方法です。万人に合うとは限らないのに、さも効果がありそうに宣伝している場合もあります。外国語を勉強するなら今の自分のレベルを冷静に判断し、自分に合った方法をとるのが一番なのです。

AもBも外国語学習の「方法」について述べている。この部分にどのように外国語学習に取り組むのがいいのか書いてある。

1 AとBは外国語学習について、どのように述べているか。

1 Aは幼少期の早い段階から外国語学習を始めるべきだと述べ、Bは大人になってからでも十分語学力を伸ばせると述べている。

2 Aは子供のように頭を柔らかくすることで語学力が伸びると述べ、Bは映画や読書などが外国語学習に効果的だと述べている。

3 AもBも、文法の正確さなど細かいことは考えず、とにかく外国語を発話してみることが大切だと述べている。

4 AもBも、無理をせず自分のレベルに適した方法で外国語に触れるのがいいと述べている。

まずは選択肢から読んでポイントをつかむ。この問題の場合、学習を始める「時期」や、学習の「方法」がポイントとなる。これらを踏まえて本文を読もう。

STEP 1 質問を読んで、読むポイントをつかもう

- AとBの文章を比較して答える問題なので、まず「比較すべきことは何か」をつかむ。
- 選択肢の形に注目すると、読むポイントがつかみやすい。
  - ・「Aは〜、Bは…だ。」➡ AとBの**違い**について
  - ・「AもBも、〜だ。」➡ AとBの**共通点**について

STEP 2 本文を読んで、答えを探そう

- AとBの意見で共通していること、異なっていることに注目して読む。
  ※筆者の主張や意見を探すポイントは「内容理解／主張理解」のSTEP 2（p.60）を参照。

情報検索 Information retrieval

生活の中で目にするような広告やお知らせ文を見て、必要な情報を読み取れるかを問う問題である。

STEP 1 質問を読んで、どんな情報を探せばいいか把握しよう

- まずは質問を読んで、どんな情報を探すのか、ポイントを把握する。特に質問文にある「いつ」「だれ」「どこ」などの「条件」は必ず確認する。

STEP 2 必要な情報を見つけよう

- すべてをじっくり読む必要はないので、必要な情報が書かれているところを重点的に読む。
- 質問が「いつ」「いくら」であれば、数字が書かれているところを中心に探す。
- 細かい条件は「注意」や「※」を使って書かれていることが多いので必ずチェックする。

STEP 3 正しい選択肢を選ぼう

- 読み取った情報と選択肢を比べて、正しい答えを探す。
- 計算が必要になる問題もあるので、焦って計算ミスをしないように注意すること。

例題4

右のページは、大学の研究室消防設備点検についてのお知らせである。下の問いに対する答えとして最も良いものを、1・2・3・4から一つ選びなさい。

1 西館の7階 に研究室がある田中さんは、いつ この点検を受けるか。

1　6月10日の9時から11時のあいだ
2　6月10日の13時から15時のあいだ
3　6月11日の9時から11時のあいだ
4　6月11日の13時から15時のあいだ

まず「条件」を確認。

問い方に注目。「いつ」とあるので、お知らせの数字から答えを探す。

2 東館の3階 に研究室がある高橋さんは、指定された日時に研究室で打ち合わせがあり、日程をずらしたい。高橋さんは何をしなければならないか。

1　6月4日までに施設課に研究室の鍵を預ける。
2　6月4日までに施設課に電話をかける。
3　6月9日までに施設課に研究室の鍵を預ける。
4　6月9日までに施設課に電話をかける。

質問文から、どんな情報を探せばいいのか把握しよう。この問題の場合、「日程をずらす」ために何をするのかがポイントとなる。

例題の答え　**例題1**　2, 3　**例題2**　3　**例題3**　4　**例題4**　4, 2

2021年5月26日

関係者各位

さくら大学　施設課

研究室消防設備点検についてのお知らせ

日頃より、管理業務につきまして、格別のご理解とご協力を賜り厚く御礼申し上げます。

この度、研究室の消防設備の定期点検を下記のとおり実施いたします。

記

■点検日時

・東館【低層階】　6月10日（木）　9：00～11：00
　　　【高層階】　6月11日（金）　9：00～11：00
・西館【低層階】　6月10日（木）13：00～15：00
　　　【高層階】　6月11日（金）13：00～15：00

「いつ」という質問は、ここを読めばわかる。質問文にある条件と照らし合わせながら読もう。

■注意事項

・点検中に警報ベルが鳴ります。
・当日は火災報知器とベランダの避難ハッチの点検のために作業員が入室します。

■連絡先：施設課（内線：4421）

※低層階は1階から5階まで、高層階は6階より上の階となります。
※点検の時間は前後する場合がございます。ご了承ください。
※点検当日はどなたかがご在室であることが望ましいですが、ご不在の場合は、前日までに施設課まで研究室の鍵をお預けください。作業員が責任をもって開錠・施錠を行います。
※上記日程で点検が行えない場合は、6月4日（金）17：00までにお電話ください。別の日程をご相談させていただきます。

2番の質問は「日程をずらしたい」ということであるから、ここを読めばわかる。小さく書かれた文にこそ、大切な条件が書かれている。

以上

第5週 1日目

目標解答時間 15分

＿＿月＿＿日

内容理解（短文）Comprehension (Short passages)

次の(1)から(4)の文章を読んで、後の問いに対する答えとして最もよいものを、1・2・3・4から一つ選びなさい。

(1)

1　私たちは、自分の生き方に関わることを誰かに委ねるべきではない。また誰かに代わって考えて決めてあげることもやめなければならない。人間は自ら考えて決めたことにしか責任はとれないし、自分の人生には自分しか責任はとれないのだ。

もちろん学校にせよ会社にせよ、一から自分で決められるわけではないし、そんなことは必要で

5　すらない。しかし自ら考え、自ら選び、自ら決められる余地がなければならない。そのためには、自由に考えられる場、何でも話していい場が、つねにでなくても、どこかで絶対に必要なのである。しかもそのさい、一人で考えるのではなく、他者と共に考えることが重要なのだ。

（梶谷真司『考えるとはどういうことか』幻冬舎による）

1 筆者は、生き方はどのように決めることが大事だと述べているか。

1 何でも話せる人とお互いに相談し合いながら決めること
2 一人きりになって自らを見つめ、自問自答しながら決めること
3 誰かと一緒に考え、最終的には自分で決めること
4 まずは一人で考え、その考えを他者に伝えて決めてもらうこと

（2）

以下は、ある温泉旅館のホームページに掲載されたお知らせである。

2021年６月１日

施設改修工事のお知らせ

日頃より「美肌温泉　嵐の湯旅館」をご利用いただき誠にありがとうございます。

この度、老朽化に伴い最上階のお部屋の改修工事を行うこととなりました。

工事に当たっては、細心の注意を払いますが、騒音や振動などが発生することが予想されます。お客様には大変ご迷惑をおかけいたしますが、ご理解、ご協力をお願い申し上げます。

工事期間　　６月15日 ～ ６月30日
工事時間　　午前10：00 ～ 午後5：00

＊工事期間中も宿泊、温泉など通常どおりご利用可能でございます。
皆様のお越しをお待ちしております。

美肌温泉　嵐の湯旅館　　〒001-2345　横都市大町4-12
TEL　025-123-0123

1　施設改修工事について、このお知らせは何を知らせているか。

1　老朽化により館内施設を改修するため、しばらく休館すること
2　老朽化により一部客室を改修するため、不便をかける可能性があること
3　改修工事期間中は営業時間が短縮されること
4　改修工事期間中は温泉の利用が制限されること

(3)

行動にはつねに動機があり目的がある。動機が正義であり、目的が善であって、その行動だけが悪だということは、人間にはありえない。

行動を生む動機とか目的は、その人間の思想が組み立てるものだ。思想が正しくなければ、正しい行動は生(うま)れない。何をするかより、何を考えているかが重要なのである。行動という刃物が、利器(りき)(注1)となるか、兇器(きょうき)(注2)となるかは、その行動を支える思想あるいは理論が正しいか、正しくないかによってきまるのだと思う。

(本田宗一郎『得手に帆あげて』光文社による)

(注1) 利器:役に立つ優れた器具
(注2) 兇器:人を殺傷するのに使う器具

1 この文章の内容に合うものはどれか。

1 人はいくら思想がすばらしくても、ひどい行動をしてしまうことがある。
2 すぐに実行に移すより、まずは頭の中で想像することが大切である。
3 人の行動をすべて善悪で判断することがあってはならない。
4 思想の善し悪しと行動は切り離して考えることはできない。

(4)

1　人間のエネルギー源のひとつに、間違いなく「劣等感」があると私は考えている。すべての人がもっている「劣等感」。そしてそれを「優越感」に変えるための決意。

その決意をした瞬間に、エネルギーが発生する。そして今もっている「劣等感」と目指す「優越感」の距離が遠ければ遠いほど巨大なエネルギーが発生するのだ。

5　今まで数多く出会ってきた「社長」と呼ばれる人たちにも、強烈な「劣等感」をもっている人が多い。

「社長」と呼ばれる人種は、世間で思われているほど優秀な人たちばかりではない。ただ、彼らの違うところは、劣等感を劣等感のままで置いておかなかったことである。

(安田佳生『採用の超プロが教える　仕事の選び方 人生の選び方』サンマーク出版による)

1　筆者の考えに合うものはどれか。

1　劣等感を強く感じたことがある人は社会的地位が高くなる。
2　劣等感を優越感に転化しようと決心することで力が出てくる。
3　劣等感を払拭しようとするのではなく、持ち続けることが成功につながる。
4　劣等感と優越感があればあるほどエネルギーは強くなっていく。

第5週　2日目

目標解答時間　15分

＿＿＿月＿＿＿日

内容理解（短文）Comprehension (Short passages)

次の(1)から(4)の文章を読んで、後の問いに対する答えとして最もよいものを、1・2・3・4から一つ選びなさい。

(1)

1　古来、人間の食事には、栄養の補給以外にも他者との関係の維持や調整という機能が付与されてきた。いやむしろ、他者といい関係をつくるために食事の場や調度(注)、食器、メニュー、調理法、服装からマナーにいたるまで、多様な技術が考案されてきたといっても過言ではない。どの文化でも社交の場として食事を機能させるために、莫大な時間と金を消費してきたのである。それは効率化
5　とはむしろ逆行する特徴をもっている。

（山極寿一『ゴリラからの警告「人間社会、ここがおかしい」』毎日新聞出版による）

（注）調度：日常的に使う身の回りの道具類

1　この文章で筆者が述べていることは何か。

1　人間の食事の仕方を見ると、効率的とは言えない。

2　栄養を補給するだけの食事は効率的とは言えない。

3　多様な技術を使わない食事は効率的とは言えない。

4　手間をかけずに食事するのは効率的とは言えない。

(2)

1　ただ何となく生きてきたのが児童期だとすると、青年期になると「こうありたい自分」というものを意識するようになる。それを「理想自己」という。現実の自分を「現実自己」という。児童期には現実自己をただひたすら生きていた。ところが、青年期になると、理想自己というものを思い描くようになり、現実自己を理想自己と比較するようになる。そこで、理想自己にまだまだ届かな*5*い現実の自分を意識せざるを得ないため、自分に満足しにくくなるというわけだ。

（榎本博明『<自分らしさ>って何だろう？ 自分と向き合う心理学』筑摩書房による）

1 文章の内容に合うのはどれか。

1 青年期になると「こうありたい自分」が明確になり、その差を埋めようとする。

2 児童期は比較する自己がないため、自分は理想的な存在だという自信が持てる。

3 児童期は自己が一つしかないが、青年期は二つの自己のはざまで悩むことがある。

4 青年期は思い描く理想自己に現実自己を近づけていくことに満足感を感じる。

(3)

メキシコから来たAさんは「私は地球人です。どこへ行ってもそこが故郷です」と言っています。彼の意識の中には、メキシコ人とそれ以外の国の人を区別するなどという考えは存在しないのです。私たち日本人の意識の中には、他国の人を分けて考えてしまうという傾向があるようです。しかし、日本が島国で、他国との交流が少なかったのはもう昔の話です。毎年海外へ出かける人が一千万人を超え、海外から日本へやってくる人が三百万人を超えているというのに、いつまでも「外人」「外国人」などという意識ではおかしいのではないでしょうか。

（小林美恵子・高取恒子・簗晶子・石田克枝・中森美都子『日本人にも外国人にも心地よい日本語――共生社会の日本語』明石書店による）

1 筆者の考えに合うものはどれか。

1 日本人は、自国の人と他国の人を区別するという考えを変えるべきである。

2 「外人」「外国人」という意識を日本人が捨てないから、海外からの訪問客が伸び悩んでいる。

3 メキシコ人の考えを取り入れれば、自国と他国を区別する意識が日本からなくなっていくだろう。

4 日本は島国であるため、他国との交流が少ないのは仕方がないことである。

(4)

以下は、株式会社サクラ出版の経理部宛てに送られたメールである。

From：hanazawa@tjtp.co.jp

To：sasaki@sakurapub.co.jp

件名：先日の請求書につきまして

株式会社サクラ出版
経理部　佐々木一子様

日頃は格別のお引き立てを賜り、誠にありがとうございます。

先ほどいただいたご指摘に関して確認しましたところ、確かに先日貴社にお送りした請求書の金額に誤りがございました。
ご迷惑をおかけし、大変申し訳ありません。訂正した請求書を、本日中に郵便にてお送りいたしますので、ご査収くださいませ。
なお、お手数ですが、前回の請求書は破棄してくださいますようお願いいたします。

メールにて大変失礼ではございますが、取り急ぎ、お詫びかたがたお願い申し上げます。

＝＝＝＝＝＝＝＝＝＝＝＝＝＝＝＝＝＝＝＝
株式会社TJTP　管理部経理課　花沢理香子
〒123-0000　東京都中沢区七番町2-2
TEL: 03-1234-5678　FAX: 03-1234-6789
Mail: hanazawa@tjtp.co.jp

1　このメールは何を伝えているか。

1　請求書を修正したので、差し替えてほしいということ
2　請求書に間違いがあったので、修正してほしいということ
3　誤って破棄されてしまった請求書を再発行したいということ
4　今後記入間違いがないよう対策を立てたということ

第5週　3日目

目標解答時間　15分

＿＿月＿＿日

内容理解（短文）Comprehension (Short passages)

次の (1) から (4) の文章を読んで、後の問いに対する答えとして最も良いものを、1・2・3・4から一つ選びなさい。

(1)

1　映画や漫画を経たわたしたちは、小説を読みながら、そこに映画や漫画で得た映像や画像を見ている。小説を読みながら、ゲームで得た映像や物語を読んでいる。

新しいメディアが登場した後の小説の読者は、したがって、小説のなかに新しいメディアがもたらした富を、言葉の世界をいっそう豊かにしながら、読むことのできる読者である。だから、小説

5　は古くなるどころか、ますます新しくなっている。小説は古びていく閉ざされた世界ではなく、そのときどきの読者によって、豊かになりうる開かれた世界である。

（高橋敏夫『この小説の輝き！―20の名作の名場面で読む「人間」の一生』KADOKAWAによる）

1　筆者の考えに合うのはどれか。

1　古い小説から着想を得て制作された映画や漫画は、現代の読者にとって新しいものの見方を与えてくれる。

2　映画や漫画ばかりを楽しんでいる人は、小説も読むことで、言葉の世界を豊かにしていくべきだ。

3　古い小説であっても、映画や漫画というメディアに取り上げられることによって、現代の読者にも楽しめるものになっている。

4　現代の読者は視覚的メディアを経験したおかげで、小説を読むとき、昔の読者とはまた違った楽しみ方ができる。

(2)

以下は、ある出版社から顧客に向けたお知らせである。

2021年4月9日

お客様各位

ゴールデンウィーク期間の営業について

日頃よりJT出版をご愛顧いただきありがとうございます。

ゴールデンウィーク期間につきまして、誠に勝手ながら、4月29日(木)より5月5日(水)まで休業とさせていただきます。

また、通常ご注文から2～3日で商品をお届けしておりますが、連休前は物流の混雑が予想され、その状況いかんでは、商品の到着に遅延が生じる場合がございます。そのため、お急ぎの商品のご注文はお早めにお願いいたします。

なお、休業期間中もご注文は弊社ホームページにて承っております。

商品は、5月6日(木)より順次発送させていただきます。

何かとご不便をおかけいたしますが、何卒宜しくお願いいたします。

JT出版　販売部

1　ゴールデンウィーク期間の営業について、このお知らせからわかることは何か。

1　ゴールデンウィーク期間中は商品の注文を受け付けていないということ

2　ゴールデンウィーク期間中は商品の発送は行われないということ

3　ゴールデンウィーク期間中に受け取りたい商品は早めに注文してほしいということ

4　ゴールデンウィーク期間中に注文した商品は、5月6日に到着するということ

（3）

一般に、体の大きな動物ほど長寿になる傾向があるとされます。小さい動物ほど代謝が盛んで、その分寿命は短く、大きい動物ほど代謝がゆっくりであるために、その分寿命が長くなるからです。しかし、「種」という単位でみたとき、長寿はけっして良いことではありません。長く生きるということは、その分、成長速度が遅いということを意味します。

例えば、竜脚類(注)の場合、捕食者から身を守ることができる最大の武器はその大きさにあります。しかし、成長がゆっくりだとしたら、自分自身が大きくなる（成熟する）前に天敵に襲われる可能性が高くなり、子孫を残すことができなくなるのです。「種の保存」という視点では、早く成長し、成熟し、多くの子を残すものが有利なこともあるのです。

（土屋健『大人のための「恐竜学」』祥伝社による）

（注）竜脚類：4本の脚で歩く植物食恐竜のグループの一つ。大型種が多い。

1 長寿はけっして良いことではありませんとあるが、それはなぜか。

1 代謝が盛んにおこなわれず、多くの子孫を残すことができないから
2 成長速度が遅く、成長する前に捕食者に襲われる可能性が高いから
3 代謝に時間がかかるため他の生き物よりエネルギーを消費しやすいから
4 長く生きる分、他の生き物より栄養を必要とするから

(4)

1 普通、私たちは問いより答のほうに注目しがちである。しかしおもしろい答、正しい答ができるかどうかは、専門的な知識や経験、言語能力などの差によって違ってくる。要するにその人の総合的な実力にかかっているわけである。知識も経験も薄っぺらな人間なら、答も薄っぺらになるわけで、これはいたしかたない。急に変えようといっても無理である。

5 しかし質問は事情が違う。自分がたとえ素人でも、質問のしかたによってすぐれた人からおもしろい話を聞き出すことができる。頭の中で少しでも質問を工夫するだけで、現実は変わってくるのだ。

(齋藤孝『質問力　話し上手はここがちがう』筑摩書房による)

1 筆者が「答」ではなく「問い」に注目しているのは、なぜか。

1 よい「答」をするためには総合的な実力が必要だが、「問い」は逆に素人のほうがよいものができるから

2 「答」は相手の理解力に合わせる必要がある一方で、「問い」は知識がなくても簡単にできるから

3 興味深い「答」を返すことは容易ではないが、「問い」は工夫次第で相手からおもしろい「答」を引き出すことができるから

4 「答」をするときは知識や経験をもとに工夫する必要があるが、「問い」は疑問をそのまま口にするだけでいいから

目標解答時間 15分
＿＿月＿＿日

内容理解（短文）Comprehension (Short passages)

次の(1)から(4)の文章を読んで、後の問いに対する答えとして最もよいものを、1・2・3・4から一つ選びなさい。

(1)

1　実をいうと「きもかわ」という言葉を前にしてわたしが最初に期待していたのは、「きもい」から「かわいい」のか、「きもい」にもかかわらず「かわいい」のか、という論理的な因果関係の問題であった。だがアンケートの回答を眺めているうちに、この見立てが誤っていたことが段々と理解できるようになった。気味が悪い、醜いということと、「かわいい」こととは、けっして対立するイメージではなく、むしろ重なりあい、互いに牽引（けんいん）し依存しあって成立しているものなのである。5

（四方田犬彦『「かわいい」論』筑摩書房による）

1　この見立てとは何か。

1 「きもかわ」という言葉は、「きもい」と「かわいい」が重なりあって成立しているということ
2 「きもかわ」という言葉の、「きもい」と「かわいい」という言葉には論理的な因果関係があるということ
3 「きもかわ」という言葉には、気味が悪く醜いというイメージがあるということ
4 「きもかわ」という言葉は、相反する言葉であり、牽引（けんいん）しあっている言葉であるということ

(2)

1　息子が市主催の中学校対抗水泳競技会に出ることになった。

体も小さいし、特にスポーツが得意なタイプでもないので、マラソンやサッカーなどで学校代表に選ばれることはないのだが、水泳だけは別である。なにしろ、わたしが福岡（ふくおか）の海辺の街で育った人間であり、うちの故郷界隈（かいわい）では泳ぐことは歩くことと大差ないというか、いつの間にかできるように 5 なっていて当たり前だった。だから、わたしの子どもに泳げないというオプションはない。しかも、赤ん坊のころから、帰省で福岡（ふくおか）に連れて帰るたびにわたしの親父（おやじ）から鍛えられ（海に投げ入れられたときにはさすがに「それだけはやめて」と怒ったが）、ガンガン泳げるようになることは産む前から自明の理（注）であった。

（ブレイディみかこ『ぼくはイエローでホワイトで、ちょっとブルー』新潮社による）

（注）自明の理：明白な道理

1　わたしの子どもに泳げないというオプションはないとあるが、それはなぜか。

1　わたしの故郷では、泳ぐことは歩くことと同じくらい自然にできるようになるものだったから

2　わたしの故郷では、子どもを赤ん坊のころから海に投げ入れて鍛えるという習慣があったから

3　わたしの故郷では、生活をするうえで、歩くことも泳ぐこともどちらも非常に重要なことであったから

4　わたしの故郷では、泳げない人は全くおらず、泳げないと恥をかくことになるから

(3)

気候変動リスクを管理するためには、大きく分けて2つの策がある。緩和策と適応策である。緩和策とは、温室効果ガス排出を削減し、大気中の温室効果ガス濃度の上昇を抑えて、温暖化の進行を防ぐことを目指すものである。それにたいし適応策とは、気候の変動やそれにともなう気温・海水面の上昇などに、人や社会・経済のシステムを調整することで対応しようとするものである。さらに大きな気温上昇の可能性がある場合、気候工学（気候に人為的に介入するエンジニアリング）をおこなうことを検討することもある。

（石井洋二郎・藤垣裕子『続・大人になるためのリベラルアーツ』東京大学出版会による）

1 文章の内容に合うのはどれか。

1 温暖化の影響で増加した台風などによる洪水対策のための下水設備の強化は、緩和策と言える。

2 二酸化炭素を出す自動車での移動をやめ公共交通機関を利用することは、緩和策と言える。

3 二酸化炭素を出さない電気自動車の使用と緑化運動は、緩和策と適応策の組み合わせと言える。

4 エアコンなど人工的な機械を使って室温調節を行うことは、気候工学と言える。

(4)

以下は、ある会社に送られてきたメールである。

From：k-kato@nippon-tec.com

To：r-yamaguchi@abccorp.co.jp

件名：N-P10について

株式会社 ABC商事
山口良子様

平素は格別のお引き立てにあずかり、ありがとうございます。

さて、先日ご注文いただきましたN-P10でございますが、発売以来弊社の予想を大幅に上回る売れ行きで、現在在庫切れの状態となっております。
現在、工場の増産体制を整えておりますが、お届けできるのは、ご指定の納品日より約1か月遅れとなる見込みでございます。
つきましては、同製品の旧モデルであるM-P20のカタログを添付いたしますので、そちらもご検討いただければ幸いです。N-P10よりも小型で、価格も割安となっております。代替品でよろしければ、すぐに手配させていただきます。

お忙しいところ恐縮ですが、再度ご検討いただきまして、あらためてご一報くださいますようお願い申し上げます。

株式会社 日本TEC
営業部　加藤孝太郎

1　このメールの目的として最も適切なものはどれか。

1　N-P10の売れ行きが好調であることへのお礼
2　N-P10の納品日が遅れることへの謝罪
3　N-P10の代わりに、M-P20を注文しないかという提案
4　N-P10の生産を終了し、M-P20を発売するという案内

⌛ 目標解答時間 15分

＿＿＿月＿＿＿日

内容理解（短文）Comprehension (Short passages)

次の(1)から(4)の文章を読んで、後の問いに対する答えとして最も良いものを、1・2・3・4から一つ選びなさい。

(1)

1 長い間、呼吸という働きは、脳の生命維持をつかさどる(注)部位の指令によって、心臓の鼓動や睡眠と同じく自動的になされているものだと考えられてきました。けれども、実は、呼吸によって自分の精神状態を変えることもできます。呼吸の速さを変えたり、呼吸について多少の注意を払ったりすることには、無意識の呼吸をつかさどるのとは別の、脳の他の部位が関わっていることがわかっ
5 てきています。

ヒトも他の動物も、走ったり休んだりパニックになったりすると、自然に呼吸が変化しますが、私たちヒトは、意識して呼吸を変えたり整えたりすることのできる唯一の動物です。

（エラ・フランシス・サンダース 著　前田まゆみ 訳『ことばにできない宇宙のふしぎ』創元社による）

（注）つかさどる：管理する、支配する

1 この文章の内容に合うものはどれか。

1 ヒトは意識的に呼吸することで、脳の他の部位を活性化させられるということが明らかになった。
2 呼吸には２種類あり、あらゆる生き物は精神状態に合わせて意識的に呼吸法を選んでいる。
3 動物の呼吸の仕方は状況に応じて自動的に変わるが、ヒトは意図的にも変えることができる。
4 生き物は呼吸が変化することで精神状態が乱れ、パニックを起こすことがある。

(2)

以下は、ある会社の社内メールである。

From：k-sato@jt-inc.co.jp

To：bucho_member@jt-inc.co.jp

件名：月例報告会　日程変更のお知らせ

部長各位

お疲れさまです。管理部総務課の佐藤です。

10日に予定していました今月の月例報告会ですが、秘書課から社長のスケジュール変更の連絡がありましたため、以下のとおり変更いたします。

日時　9月15日（水）14時から

場所　第１会議室

急な変更ではございますが、全員参加を原則といたしますので、スケジュールをご調整ください。やむを得ず参加できない場合は、代理を立てていただくようお願いいたします。

なお、9月10日にはベトナム支社の支社長が取引先の社長をお連れして、本社を見学する予定となっております。それにともない、５階フロアの全会議室の使用はできませんので、併せてご注意ください。

＝＝＝＝＝＝＝＝＝＝＝＝＝＝＝＝＝＝＝

管理部総務課　佐藤一子（内線：1005）

1　このメールからわかることは何か。

1　月例報告会は秘書課の都合により変更を余儀なくされた。

2　月例報告会当日に５階の会議室を予約している場合は変更しなければならない。

3　部長が月例報告会に出席できない場合は、部長に代わる者が出席しなければならない。

4　理由のいかんによらず、月例報告会には部長が出席しなければならない。

(3)

仕事は心のとらえ方ひとつでまったく違ったものになります。例えば、「仕事はしょせん、生活の糧を得るための労役にしかすぎない」と思ってしまえば、一生、忍耐労働の対価として金銭をもらうという形が続いていきます。

ところが、「仕事はチャンスのかたまりだ」ととらえると、仕事は収入機会であるばかりでなく、成長機会、感動機会、触発機会、学習機会、貢献機会、財成機会になります。どんな仕事であれ、こうしたチャンスが目に見えない形で潜んでいます。

（村山昇『働き方の哲学 360度の視点で仕事を考える』ディスカヴァー・トゥエンティワンによる）

1 筆者の考えに合うのはどれか。

1 金銭のためだけの仕事はやめて、チャンスを与えてくれる仕事をするべきだ。

2 金銭のための労働も様々な機会のある労働と等しく、かけがえがないと言える。

3 仕事には多くのすばらしいチャンスがあるので、人生をかけて臨むべきだ。

4 自分の視点を変えるだけで、つまらなかった仕事が様々なチャンスになりうる。

(4)

1 学習指導場面では内発的動機づけが望ましいことはいうまでもない。しかし、この場面での教科学習(注1)は元来子どもが興味を示す対象とは思われないし、また教科学習を行う子どもがその学習の実社会での効用をあらかじめ認識してとり組んでいるとも思われない。それゆえ、学習活動を外側から応援する動機づけが必要とされる。それはたとえば、ことばによる賞賛や評価、賞の授与から、5 受容の表情・態度などの非言語的手段、教師によるフィードバック(注2)まで多様であるが、いずれも認知的動機づけを用いたところの外発的動機づけである。

(米澤富士雄・足立正常・倉盛一郎 編著『教育心理学』北大路書房による)

(注1) 教科学習：学校教育で学習すべき知識や技術のこと。国語、算数、理科、社会など
(注2) フィードバック：反応、評価、意見などを与えること

1 筆者の考えに合うのはどれか。

1 子どもを学習活動にとり組ませるには、内発的動機づけだけでなく、外発的動機づけも用いることが必要だ。

2 子どもが学習活動にとり組むにあたっては、内発的動機づけは必要なく、外発的動機づけを用いることが必要だ。

3 子どもは外発的動機づけを用いられると、内発的動機づけが弱くなり、学習効果が下がる。

4 教科学習の有用さを子どもに認識させることで、子どもの外発的動機づけを高めることができる。

第6週　1日目

目標解答時間　15分

＿＿＿月＿＿＿日

内容理解（中文）Comprehension (Mid-size passages)

次の(1)から(3)の文章を読んで、後の問いに対する答えとして最もよいものを、1・2・3・4から一つ選びなさい。

(1)

1　今までの常識では、組織の中で「やる人はやり、やらない人はやらない」という形で放置されてきました。

今までは、その状態でも組織に求められる成果として十分だったからです。

しかし、これからの時代は、ますます省人化(しょうじんか)(注1)が進むことが予想されます。

5　そうなると、所属するメンバーへ求められる仕事の種類が多岐にわたることになります。

これまでの「苦手だから、やりたくない」という理由のもと、個人の価値観による選択は通用しなくなります。

私が支援に入る企業内でも、成長期で十分な人材確保が実現できる環境で展開してきたころは、役割分担と専門職化を進めてきましたが、成熟期で人材確保が十分に行なえない環境では、利益確

10　保のために省人化と多能工化(注2)を進める動きが高まっています。

外部環境は、今まで以上のスピードで変化しています。

環境変化に対応する変化ができない人ばかりの組織やチームは、成果を出すことができません。

だからといって、採用困難な環境では、人を入れ替えることもできません。

そのまま放置すれば、衰退の一途をたどることになります。

15　したがって、今いるメンバーで変化に対応する必要がありリーダーには、変化に対応できる組織構築が求められます。

（山北陽平『結果を出すリーダーほどこだわらない』フォレスト出版による）

（注1）省人化：人を省くことで効率化を進めること
（注2）多能工化：一人で複数の業務や工程をこなすスキルを持った従業員を育成すること

1 個人の価値観による選択は通用しなくなりますとあるが、なぜか。

1 人員削減で一人一人が様々な仕事を受け持つことになるため

2 会社が個人の価値を見直し、その人に合った仕事を割り当てるため

3 現在のメンバーでは、組織が求める成果を上げることができなくなったため

4 本来、仕事というものは不得手なことでもしなければならないため

2 筆者は企業の成長期と成熟期ではどのような傾向があると言っているか。

1 成長期には専門的な仕事を細分化することで質を重視し、成熟期には質より量を重視する傾向がある。

2 成長期には多くの従業員に一斉に仕事を教え、成熟期には少数の従業員に集中して仕事を教える傾向がある。

3 成長期には従業員に専門的な仕事に集中させ、成熟期には少数の従業員に複数の仕事をさせる傾向がある。

4 成長期には専門的な能力が何よりも求められ、成熟期には利益を上げることを最優先に考える傾向がある。

3 筆者の考えに合うものはどれか。

1 リーダーは自分自身を専門職化せず、多能工化をして組織を守るべきだ。

2 リーダーは専門職化よりも多能工化をして組織を守るべきである。

3 リーダーは成果が出せない従業員を入れ替えて変化に対応しなければならない。

4 リーダーは従業員を状況に適応させながら組織を作っていく必要がある。

(2)

1　ある作品について批評をしようとするならば、作品によって気分を害したり、あるいは逆に喜びに満たされたりしてしまった状態では、まだ筆を執ってはいけません。「なぜ俺は怒りを覚えたのか？」、「どうして僕はこんなに喜んでいるのだろう？」といった分析を実施し、確実な解答を見つけてから、書くようにしたいものです。

5　（中略）

　分析にコツというものがあるならば、「異なる感情」を想定し、組み立てること①だと私は思います。仮にある作品を「おもしろい」と感じたならば、「おもしろくないと感じる可能性」を探してみましょう。「技術はさておき、この作品のテーマ性はとても優れていると感じた」のならば、「でも待てよ。このテーマに違和感を抱く層がいるかもしれないぞ」と疑ってみて、「社会において、ある層はこのテー

10　マを是とするだろうが、別の層は反感とともに受け止めるのではないだろうか」と気づく……ところまで進めば後は自由自在、「なるほど。だとするとこの作品は、このテーマに対して反感を抱く層そのものへの気づきを示唆しているのかもしれない。だからおもしろいと感じたのか」と合点がいっ（注）たり、「一方的にこのテーマを肯定する層に照準を当てたのは、対立による議論の活性化を促しているのかもしれない」と推測したり、思考の幅をぐっと広げることが容易になります。

15　重要なのは書き手当人②のそれとは「異なる感情」の存在を、書き手自身が気づくことなのです。そうしないと視野が狭くなり、一方的な意見を紡いでしまったり、一側面だけを取り上げた主張になってしまったり、ひいては伝えるべき価値を伝えたい相手に伝えられないという事態に陥りかねません。

（川崎昌平『書くための勇気』晶文社による）

（注）合点がいく：理解できる、納得する

1 筆者は①「異なる感情」を想定し、組み立てることでどうなると述べているか。

1 思考範囲が広がりやすくなる。

2 感情を自由自在に操れるようになる。

3 物事を疑って見ることができるようになる。

4 脳が活性化され、議論が白熱しやすくなる。

2 ②書き手当人とは誰か。

1 作品を書く技術がある人

2 作品の批評文を書きたい人

3 作品を楽しんでいる人

4 作品に反感を感じている人

3 筆者の考えに合うものはどれか。

1 作品を分析するときは、自分とは異なる感情を優先させることが必要である。

2 いかに優れた作品でも、反感を覚える人がいることを忘れてはいけない。

3 正確に作品の価値を伝えるためには、多角的な視点から分析することが大事である。

4 作品は賛否両論あるからこそ面白いので、自身が感じるままに伝えるべきである。

(3)

1 子どもの支援が必要なのは、決してアフリカやアジアなどの開発途上国に限った話ではない。確かに多くのメディアが、日本における子どもの貧困を取り上げるようになり認知は進んでいる。貧困対策の推進に関する法律ができたり、学習支援や食の支援などを行うNPOも増えたが、厚生労働省(注1)が初めて子どもの貧困率を出したのは09年(注2)。親の収入と子どもの学力はひも付いていて教育格差
5 が起きているということがわかったのも最近だ。まだまだ日本の「子どもの貧困」の歴史は浅い。

(中略)

日本では、児童手当や医療費など、中学生でいろいろな支援が終わってしまう。支援を受けて高校に行けるかどうかで生涯賃金が大きく変わるのにだ。少子化で高齢者を支える子どもが減る中、一人ひとりが貧困の子どもを放置することがいずれ自分に返ってくる。国民全体の問題として子ど
10 もの貧困を考えるべきではないだろうか。

学校で「調理実習があるからエプロンと三角巾(注3)を持ってくるように」と言われて、経済的な理由で用意ができない家庭がある。「何で忘れたのか？」と先生が尋ねても、ほとんどの子は親を気遣って理由を話さないという。コンパス(注4)、書道道具……と忘れ物が続いたとき、怒らずに、何かが起きているのかもしれない――、そう気づくだけでも、少しずつ実情は変わっていくのではないだろうか。

(東洋経済オンライン <https://toyokeizai.net/articles/-/380161> 2020年10月10日取得による)

(注1) 厚生労働省：国民の生活の向上を目指し医療や食品の安全から雇用や社会保障、年金制度まで幅広く扱う機関
(注2) 09年：2009年
(注3) 三角巾：髪の毛をまとめる三角形の布
(注4) コンパス：円を描くために用いる二本足の製図器具

1 日本における子どもの貧困の状況について、筆者はどのように述べているか。

1 報道されないため国内での認知は非常に低い。

2 貧困を撲滅するための法律ができた。

3 厚生労働省が中心となって支援を強化している。

4 対策は取られているがまだ十分とは言えない。

2 国民全体の問題として子どもの貧困を考えるべきではないだろうかとあるが、なぜか。

1 子どもはいずれ高齢者を支える立場になるため

2 親の収入により、子どもの学力や進学先に影響が出るため

3 開発途上国ばかりに支援がされ、国内の支援が遅れているため

4 国民の関心がないことで、支援が中学までで打ち切られてしまうため

3 この文章の内容に合うものはどれか。

1 教育機関では子どもの貧困状況を把握するために親の収入の調査を始めた。

2 国内では児童手当や医療費の支援は成人するまで受けられる。

3 経済的な理由によって、学校で使う物すら揃えることができない子どもがいる。

4 子どもが忘れ物をするのは、貧困であることに気がついてほしいというサインである。

目標解答時間 15分

月　日

内容理解（中文） Comprehension (Mid-size passages)

次の(1)から(3)の文章を読んで、後の問いに対する答えとして最もよいものを、1・2・3・4から一つ選びなさい。

(1)

1 　現在、日本は都市への一極集中(いっきょくしゅうちゅう)（注1）になっている。北海道なら札幌(さっぽろ)、東北なら仙台(せんだい)、関東近辺は東京と、それはだれでもわかっているはずである。高知(こうち)県なら、県の人口の四割が高知(こうち)市に集中する。それに並行して起こっているのが、過疎化である。田舎を訪問してみれば、①だれでもわかるはずである。農水省(のうすいしょう)（注2）はそうした過疎の起こっている地域を、中山間地域と呼んでいる。これが日本全土の八割を

5 占めるという。

　政府は田舎の振興策をいろいろやったが、成功したとは思えない。それでも過疎化はひたすら進行したからである。それならそれは②一種の必然だったのである。たとえば道路を懸命につくったが、③スポイト現象が生じただけだった。道路が便利になったら、それを利用して、田舎の人がむしろ都会に出てきてしまったのである。これはもちろん誇張だが、田舎がほとんど失われたことは、私が

10 ことさら（注3）いうまでもないであろう。

　その田舎を振興しろといっても、おそらく意味がない。人々が田舎暮らしをする気がないからである。それなら田舎に意味がないかというなら、すでにおわかりであろう。問題は田舎か都会かではない。われわれの生き方、それに対する考え方の問題なのである。

（養老孟司『いちばん大事なこと』集英社による）

（注1）一極集中：政治・経済・文化上の組織や機能が一か所に集中すること
（注2）農水省：農林水産省の略。農業、林業、畜産業、水産業を担当する行政機関の一つ
（注3）ことさら：とりわけ、わざわざ

1 ①だれでもわかるはずとあるが、何がわかるのか。

1 地方都市にその地方の人口が集中すること
2 田舎の人口が少なくなっていること
3 中山間地域が日本全土の八割を占めること
4 人々が田舎暮らしをする気がないこと

2 ②一種の必然だったとあるが、何が必然だったのか。

1 政府による振興策の失敗
2 過疎化の進行
3 都市への一極集中
4 田舎の消滅

3 ③スポイト現象とはどういう現象か。

1 都会と田舎を道路で結んだら、都会に田舎の人が流出する現象
2 都会と田舎を道路で結んだら、都会と田舎の交流が盛んになる現象
3 都会と田舎を道路で結んだら、田舎が都会に吸収される現象
4 都会と田舎を道路で結んだら、都市と田舎の区別がなくなる現象

(2)

1 国政選挙(注1)で初めて18歳選挙権が導入された2016年参院選(注2)で、18歳の投票率は5割を超えたが、昨年(注3)の参院選では35.62％まで落ち込んでいる。19歳や20歳代の投票率はさらに低い。

日本学術会議は、各大学が主権者教育に関する授業を導入し、単位として認めることを提言した。現状への危機感の表れだろう。

5 香川大学は、1年生向けの科目に主権者教育を取り入れている。学生が5～6人のグループに分かれ、「大学生の教育費負担のあり方」「非正規雇用」「男女共同参画」「地方と都市の格差」など政策課題の解決策を議論する。

各政党の公約を配布し、受講者が「予習」した上で、本物の投票箱や記載台を使っての模擬選挙まで行っているという。

10 現実の問題に対する学生の理解を深め、投票行動に結びつける実践的な取り組みとして、他の大学でも参考になるのではないか。

各政党が若者の声を政策に反映し、分かりやすく説明しようとすることにもつながるだろう。

新たな学習指導要領により、高校では22年度(注4)から必修科目として「公共」が設けられ、小中学校の主権者教育も強化される。重要なのは、その内容である。

15 学校の授業や選挙管理委員会の出前授業(注5)で、選挙の意義や仕組みを説明するだけでは不十分だ。児童・生徒との対話を通じた体験型学習を普段から積み重ねていかなければなるまい。

（中略）

巨額の財政赤字や社会保障制度が抱える課題を放置すれば、若い世代に重い負担がのしかかる。学校の授業や活動を通じて、若者がこうした問題を自分のこととしてとらえる機会が増えれば、選

20 挙への関心は高まるはずだ。

（読売新聞2020年9月26日による）

（注1） 国政選挙：国会議員を選ぶ選挙
（注2） 参院選：参議院議員を選ぶ選挙
（注3） 昨年：この文章では2019年のこと
（注4） 22年度：2022年度
（注5） 出前授業：学校教師ではない人が、学校に出向いて特別に行う授業

1 参院選（さんいんせん）について、この文章からわからないことはどれか。

1　2016年の18歳の半数以上が投票したこと

2　2016年の18歳に比べて、「昨年」の18歳の投票率が低いこと

3　「昨年」、20歳代の投票率が35.62%未満だったこと

4　投票率が全世代において下がっていること

2 香川（かがわ）大学の取り組みとは、どのような取り組みか。

1　主権者教育に関する1年間の授業を必修とした。

2　主権者教育の授業の受講生が選挙に行くと、単位が得られるようにした。

3　実際の公約をもとに、学生にどこに投票するか考えさせている。

4　政策課題をグループで話し合い、実際に国に対して提言を行っている。

3 児童・生徒への主権者教育について、筆者はどのように考えているか。

1　選挙の大切さを説明しても、子どもには実感が伴わないので無駄だ。

2　「公共」の授業を通して、選挙の概観を子どもたちに周知する必要がある。

3　主権者教育の内容は、子どもとよく相談して企画するべきだ。

4　教育方法を工夫して、子どもの政策課題への関心を高めることが重要だ。

(3)

1 AIの話題が新聞などでしきりに取り上げられるようになったのは、囲碁(いご)や将棋(しょうぎ)でプロのトップ棋士(きし)(注1)がコンピュータソフトと対戦するようになってからであろう。

(中略)

一定のルールに従って勝利を目指すゲームに関しては、その場その場の局面(注2)に応じてつねに最適解を
5 選択できるAIが人間を超えることは — その時期が予想を超えて早かったとはいえ — 必然的な成り行き(注3)であったと思われる。(中略)

囲碁(いご)ソフトなどの驚異的(きょういてき)な進歩の速度を見ると、AIが人間を模(も)(注4)して「倫理」を学習することもけっして不可能ではないように思われる。そしていずれは(もしかするとさほど遠くない将来に)人間の倫理を超えて、完璧な「AI倫理」①なるものを確立する日がくるかもしれない。しかもそれは絶え
10 ず新しい情報を取り入れて進化し続けるであろうから、人間はもはや自分で倫理観をもつ必要がなくなり、すべてAIに判断してもらいさえすればつねに「もっとも正しい」行動をとることができるようになるはずだ。

しかしこうした想像がなんとなく恐ろしいと感じる②のは、私だけではあるまい。それはおそらく、人間を人間たらしめる(注5)もっとも基本的な根拠であるはずの「思考」の領域がAIに侵食(しんしょく)され、やがてとっ
15 て代わられるのではないかという存在論的な不安がかきたて(注6)られるからではなかろうか。

(石井洋二郎・藤垣裕子『続・大人になるためのリベラルアーツ』東京大学出版会による)

(注1) 棋士:囲碁や将棋のプロ
(注2) 局面:事態、情勢
(注3) 成り行き:物事が変化していく様子や過程
(注4) 模する:まねる
(注5) 人間たらしめる:人間であるとさせる
(注6) かきたてる:感情を起こすように促す

1 囲碁(いご)や将棋(しょうぎ)とAIについて、文章の内容に合うのはどれか。

1 囲碁(いご)や将棋(しょうぎ)の世界の発展には、AIが大きく寄与している。

2 人間の棋士(きし)の感情を読むことで、AIは人間と渡り合っている。

3 AIが人間の棋士(きし)を超えるということは、予想していない展開だった。

4 囲碁(いご)や将棋(しょうぎ)でのAIの活躍が、AIそのものへの注目を高めた。

2 ①完璧な「AI倫理」が確立されたら、どうなると言っているか。

1 ルールがあるものなら、その場の状況に応じて最適な答えを出せるようになる。

2 人間がAIに指示を仰いで活動するようになるかもしれない。

3 AIさえあれば、人間が倫理観を持つ必要がなくなると考えられる。

4 人間の倫理を超えてしまうので、AIの判断が正しいとは言い切れなくなる。

3 ②恐ろしいと感じるのはなぜか。

1 AIが思考を支配したら、人間であることの証明が失われるかもしれないから

2 AIによって人間の倫理を超えて「正しい」と認めたことを人間がしてしまうから

3 AIを作っていた人間がAIに不要と判断されてしまう可能性があるから

4 AIは驚異的(きょういてき)に進歩しており、人間を支配する日が近づいていると実感するから

第6週　3日目

目標解答時間　15分

＿＿＿月＿＿＿日

内容理解（中文）Comprehension (Mid-size passages)

次の(1)から(3)の文章を読んで、後の問いに対する答えとして最もよいものを、1・2・3・4から一つ選びなさい。

(1)

　現在、大小をかまわず言えば、美術が中心になっている地域づくりは2000もあると言われています。金太郎飴(きんたろうあめ)(注1)だとかイベントだのみだとか、学芸会(がくげいかい)(注2)並みだとかいろいろ言われていますが、それは悪いことではない。

　まず私はそれらを全部支持します。公金の使い方にしても、他にかけるお金よりはずっとマシです。美術は出発時点では個人的なものだし、少なくとも直接的な役にも立たないし、そのぶん害もないのです。目立つから批判の対象になりやすいから誤解されていますが、そんなものです。しかしそんなものでしかないことが美術の誇りなのですが、ここではそれを言いますまい。今まで書いてきたとおりです。

　ここで問題なのは、<u>そんな美術</u>をふるさと再生の目玉にしたり、外国からの観光の切り札(きりふだ)(注3)にしようと政府が動き出していることです。私たちは政府からお金をいただこうと人並み以上に努力するし、多くの人に関わってもらいたい、見に来て欲しいと工夫します。

　しかし、私たちがやってきたことは瞬間的に目立ち、消費されるイベントでは決してない。じっくりと地域の人たちと、そこに漂う祖霊(それい)(注4)の願望に伴走する地域づくりでありたい。地域の人たちの感幸(かんこう)(注5)になる観光でありたいし、観光する人たちにとっても自然とかかわり、地域の人たちと交歓(こうかん)(注6)し、ゆたかな五感が開かれる体験であるといいと思うのです。あえて誤解を恐れず言うならば、社会に役立つ大層なものとして扱われたくないのです。

（北川フラム『ひらく美術　地域と人間のつながりを取り戻す』筑摩書房による）

（注1）金太郎飴：ここでは、画一的であること
（注2）学芸会：小学校で児童が学習成果を発表する会
（注3）切り札：ここでは、とっておきの手段
（注4）祖霊：先祖の霊
（注5）感幸：観光を通して皆が幸せを感じるという意味の造語
（注6）交歓：互いに楽しむこと

1 美術が中心になっている地域づくりについて、この文章からわかることはどれか。

1 質の高い企画が多く行われている。

2 他の政策に比べて公金が多く使われている。

3 大規模な企画が2000以上存在している。

4 観光資源として注目されている。

2 そんな美術とあるが、どんな美術か。

1 公金を使っている美術

2 実際の利益を求めない美術

3 人々からの批判の対象にされやすい美術

4 芸術家個人によって完結されるべき美術

3 美術が中心になっている地域づくりについて、筆者はどのように考えているか。

1 地域の伝統を見せることで、観光客を呼び込むことができてよい。

2 人々が美術を軸に協力することが、地域の活力を取り戻すのに効果的である。

3 その土地らしさを大切にし、地域の人々の思いに寄り添うものにするべきだ。

4 観光によって地域の人々の暮らしが影響されないように注意するべきだ。

(2)

1 失敗は、新たな創造行為の第一歩にすぎません。その失敗と上手につき合い、うまく活用していくためにも、まずは失敗を恥である、減点の対象であると考えるいまの日本の失敗文化そのものを変えていく必要があります。

失敗を恥や減点対象としても、起こった失敗が隠蔽(いんぺい)(注1)されて、より大きな失敗へと種を成長させる

5 だけです。それよりも、失敗の実態をきちんと見すえながら次の失敗が起こらないシステムをつくるべきです。

(中略)思わず隠せるほどの失敗ならば、まだそれほど大きな失敗には結びつきません。しかし問題は、隠しきれない失敗を起こしたとき、それ以上ウソをついて失敗を隠し続けるのは、絶対避けるべきです。その段階ですべてを明らかにできれば、致命的なダメージは避けられます。

10 失敗はいくら何重に防止策を講(こう)(注2)じたところで必ず起こります。人の活動に失敗はつきものだからで、人が活動をやめないかぎり、人は失敗とつき合い続けていかなければなりません。とくに新しい技術を開発したり、未知の世界へ突入したときなど、失敗は当たり前のように私たちの目の前に姿を現します。むしろ、うまくいくことの方がまれだというのが、現実です。

失敗は、一時的に私たちの心を苦しめますが、じつは発展のための大きな示唆(しさ)(注3)をつねにあたえて

15 くれます。そして、真の創造は、起こって当たり前の失敗からスタートするということを私たちは決して忘れないようにしたいものです。

(畑村洋太郎『失敗学のすすめ』講談社による)

(注1) 隠蔽:故意に覆い隠すこと
(注2) 講じる:問題解決のために、考えをめぐらし適当な方法をとる
(注3) 示唆:それとなく知らせること

1 日本の失敗文化とあるが、それはどんな文化か。

1　同じ失敗を繰り返すことを恥とする文化
2　失敗することはマイナスだとする文化
3　失敗をした場合、それを恥じて隠そうとする文化
4　失敗こそが新しい創造の始まりだとする文化

2 失敗について、この文章に合うものはどれか。

1　どんな失敗であっても隠し続けられるものではない。
2　よく注意して行動するようにすれば失敗が避けられる。
3　新しい挑戦をするときは失敗しないほうが珍しい。
4　失敗とは人が怖気づいて活動をやめてしまうことである。

3 この文章で筆者が最も言いたいことは何か。

1　失敗したときは、今後のためにもその恥をいつまでも忘れるべきではない。
2　失敗はつきものなので、失敗を隠さず失敗から学ぶという姿勢を持つべきだ。
3　失敗はさらに大きな失敗を作り出すので、失敗が起こらないように努力すべきだ。
4　失敗をするのは仕方がないが、致命的ダメージを被（こうむ）る失敗はするべきではない。

(3)

1 「手応え」のある仕事がしたい、と考えている人は多い。しかし、切れ味の鋭い仕事をしたときには、手応えはない。手応えというのは、適度な摩擦、適度な抵抗のことであって、鈍い部分があるために、そこそこの苦労を強いられる。だから、手応えとして感じるのである。たとえば、自分が怠けていたり、能力不足だったりして、〆切間際になって徹夜をして、ようやく完成させた場合は、達成感
5 があり、手応えもある。こういう苦労の末に「間に合わせた」仕事は、なんとなく嬉しいものである。ドラマなどでも、そんなぎりぎりセーフ(注1)の仕事をして、それが「良い仕事」であり、「充実した職場」みたいに描かれている。

けれども、これは明らかに間違っている。良い仕事というのは、切れ味の鋭い刃物でさっと仕上げたものであり、これがプロの手際というものだ。傍から見ていると、あっさり出来上がってしまい、
10 簡単そうに見受けられるけれど、それはアマ(注2)の目で見ているからにすぎない。

鋭い刃物を使うと、切り口も綺麗だし、力も必要ないし、なによりも安全だ。しかし、その切れ味は、仕事がないときにも毎日刃を研ぎ、磨き上げたものだけが発揮する。この場合、「手応え」は、切るまえに既にある。仕事の以前に、自分に対する手応えがある。そういうものではないだろうか。

(森博嗣『常識にとらわれない100の講義』大和書房による)

(注1) セーフ：ここでは、間に合うこと
(注2) アマ：アマチュア、素人

1 筆者によると、「手応え（てごた）え」のある仕事とはどんな仕事か。

1 自分の実力に適した仕事

2 時間をかける価値のある仕事

3 苦労してやっと終わらせた仕事

4 あっけなく終わってしまう仕事

2 筆者によると、プロの仕事とはどんな仕事か。

1 誰の目から見てもその努力が伺われる仕事

2 仕事ぶりに無駄がなく完成度の高い仕事

3 じっくりと時間をかけた丁寧な仕事

4 最高の道具を使用して成し遂げられた仕事

3 「手応（てごた）え」は、切るまえに既にあるとはどういうことか。

1 自分の手に負えない仕事は引き受けないということ

2 仕事の依頼者から絶対の信頼を受けているということ

3 失敗は許されないという緊張感を持っているということ

4 仕事をする前からそのための努力をしているということ

第6週　4日目

目標解答時間　15分

＿＿月＿＿日

内容理解（中文）Comprehension (Mid-size passages)

次の(1)から(3)の文章を読んで、後の問いに対する答えとして最も良いものを、1・2・3・4から一つ選びなさい。

(1)

1　ある程度の教育を受けた人間は最低限、意味の通る文章を簡単に書くことができます。小説においても、プロと素人の差はあったとしても、それなりのものができます。どうしてそんなこと①が可能なのか、その条件は何かと聞かれれば、誰も説明できません。私たちはどうしてかが分からないまま、文章を書き、評価しているのです。

5　それゆえ、私たちには、現在のコンピュータに文章の書き方をプログラムする方法がまったく分かりません。長文を「人に読める形」で生成するプログラムとなれば、もはや誰もがお手上げ状態②です。

そして、もしもこの「文章における意味を規定するルール」が分かり、プログラムをつくることができれば、AI作家の実現はもちろん、誰にでも「作家のような文章が書けるコツ」が分かります。

10　さらにそれがスマートフォンなどにテキスト作成補助機能として搭載されれば（その時、人類がスマートフォンを使っているかは分かりませんが）、メールからソーシャルメディアへの投稿まで見事に洗練された文章が作成できて、たちまち一億総作家時代③の到来ということになるかもしれません。

（松原仁『AIに心は宿るのか』集英社インターナショナルによる）

1 ①そんなこととは何か。

1　最低限の教育を受けること
2　意味の通る文章を簡単に書くこと
3　プロと素人の差を生み出すこと
4　文を書き、評価すること

2 ②誰もがお手上げ状態になるのはなぜか。

1　長文を書き出すプログラムに人は勝てないから
2　人がどのように文章を組み立てているか解明されていないから
3　人の思考にまだコンピュータが追いつけていないから
4　コンピュータは、文章を書くことと評価することを同時に処理できないから

3 ③一億総作家時代とは、どのような時代のことか。

1　一億を超える人々が作家になりたがる時代
2　AI作家が一人で一億人分の小説を書けるようになる時代
3　誰もが作家のような文章が書けるようになる時代
4　誰もがAIのプログラムが作れるようになる時代

(2)

1 さまざまな理由をあげて、日本語は演説に不向きであると主張する意見はいつの時代にもあったようだ。言語にもその使用目的によって向き不向きがあり、英語は演説に向いているが、日本語は向いていない、といったような意見である。

これは、話し手、使い手の能力ではなく、言語そのものに問題、欠陥、限界があるとする、いわ

5 ば「日本語限界説」①である。実際、福沢(ふくざわ)(注)はそういった声も耳にしたようで、彼ら②に対して、胸がスカッとするような反論を次のように述べている。

(中略)

日本語は、書きことばも話しことばも不便な言語であるからして、いっそのこと日本語を止(や)めて、英語を使うことにしたらどうかと言う人もいる。しかし、そういう輩(やから)は、まさに「取るにも足らぬ

10 馬鹿を云(い)う者」だと切り捨てる。

日本語の限界を唱える人は、そもそも自分自身で日本語をちゃんと使ったことのない人である、日本語はあらゆることを十分に表現できる立派な言語であるということ、そして、問題は日本語の使い手にあるのであり、私たち一人一人が、日本語の修練に励むべきだと主張している。つまり、日本語のせいにして、自分たちの努力を怠ってはいけないということだ。

(東昭二『なぜ、あの人の話に耳を傾けてしまうのか? —「公的言語」トレーニング —』光文社による)

(注) 福沢：福沢諭吉(ふくざわゆきち)(1835 – 1901)のことと。日本の学者であり、作家、教育者でもあった。

1 ①「日本語限界説」とは何か。

1 日本語の話し手や使い手の能力が足りず、相手に自分の話が伝わらなくなるという説
2 日本語を正確に使ったことがない人が増えており、日本語で演説ができなくなっているという説
3 日本語の使い手自身が、自分の日本語能力に問題、欠陥、限界を感じているという説
4 日本語は使い手の能力に関わらず、使用目的によっては不向きな言語であるという説

2 ②彼らとは、誰をさしているか。

1 日本語の話し手・使い手
2 日本語の限界を唱える人
3 英語で演説を行う人
4 日本語を使ったことがない人

3 この文章で筆者が最も言いたいことは何か。

1 日本語であらゆることを表現できるように、その使い手が努力をすることが重要である。
2 日本語でも立派な演説ができるように、英語の演説で使用される技術を学ぶことが重要である。
3 自国の言語や文化を卑下するような思想を持つ馬鹿者の意見は、切り捨てていくべきだ。
4 英語で行われるような立派な演説ができるよう、日本語をもっと豊かにしていくべきだ。

(3)

街中を散歩していると、首を前後に揺らしながら、せかせか歩くハトが目に入ってくる。人に追われたハトが一生懸命首を振りながら逃げ惑う様子は、どこか滑稽だ。かつて私は、大学の卒業研究として、このような鳥の“首振り行動”を研究していた。一見間抜けに見えるあの首の動きには、視覚に関連したとても重要な働きがあるのだ。

鳥の仲間は眼だけをキョロキョロ動かすことが苦手である。眼が大きく、やや平らな形状だからだ。私たちは街ゆく人々の姿を眼だけで追うことができるが、これは鳥にはできない。そのうえハトの眼は横を向いているので、歩いている間、眼に映る景色は常に後ろに流れていってしまう。

そこで、眼を動かせない鳥たちは、代わりに首を振ることにした。この行動は「首を突き出す」「頭の位置を固定したまま首を縮める」という動作の繰り返しからなる。体が進む間、首を縮めて頭の位置をキープすることで、眼に映る景色がぶれないようにしているというわけだ。

皆が普通にできることができず、周囲から滑稽に見えるような泥臭いやり方をせざるを得ない時がある。そんな時、どうしても情けない気持ちになってしまうが、大事なのは手段ではなく「目的が達成できているかどうか」だ。網膜にぶれの少ない景色を映すことができるなら、眼を動かしても首を振ってもどちらでもいいのだ。

（郡司芽久　朝日新聞2020年10月14日付朝刊による）

1 視覚に関連したとても重要な働きとは何か。

1 街ゆく人々の姿を眼(め)だけで追うこと

2 眼(め)に映る景色を常に後ろに流すこと

3 眼(め)に映る景色がぶれないようにすること

4 人に追われた時にすぐ逃げられること

2 ハトをはじめとする鳥たちが眼(め)だけを動かせないのはなぜか。

1 眼(め)が大きく、眼(め)の形状がやや平たいから

2 眼(め)が顔の横についており、常に横を向いているから

3 常に首を大きく振っているから

4 体に対して、首が突き出ているから

3 この文章で筆者が最も言いたいことは何か。

1 皆が普通にできることを、自分も普通にこなすことが必要である。

2 周囲からどんな目で見られようと、目的が達成できているかが大事である。

3 どんな時でも、ぶれの少ない景色を網膜に映すことが重要である。

4 人生には、泥臭いやり方をしなければならない時が必ずある。

第6週　5日目

目標解答時間　15分

＿＿＿月＿＿＿日

内容理解（中文）Comprehension (Mid-size passages)

次の(1)から(3)の文章を読んで、後の問いに対する答えとして最も適当なものを、1・2・3・4から一つ選びなさい。

(1)

恥と罪悪感の違いは何だろうか。まず、特定の状況から恥または罪悪感が生まれるという関係性はないようである。つまり、同じ状況であっても、人によって恥を感じたり罪悪感を覚えたりする、ということである。一般に、恥は、自分の身体的特徴や能力などを否定的に評価し、かつ他者が自己を否定的に評価していると考えるときに生じる。そして罪悪感は、自分の行為を否定的に評価し、その行為が他者にどのように影響するのかを考えるときに生じる。たとえば、自分が何気なく言ったことに対して相手が不機嫌そうな顔をしたとき（他者を心理的に傷つけた場面と解釈するならば道徳違反である）、単純化するならば、「自分の話す能力が低いから嫌われた、あるいは頭が悪いと思われた」と思うならば恥ずかしさ、「そのように話してしまって相手に迷惑をかけてしまった」と考えるならば罪悪感、ということになる。

また、恥が生じるのは身体や能力など、容易に変更することができないものに対してのことが多いので、隠蔽行為(いんぺいこうい)(注)や一時的に他者を避けることが生じやすい。また、頭と視線を下げるという行動が一般的である。その一方、罪悪感は、他者への影響を考えるときに生まれるので、他者との関係を回復、維持させようとする行為につながるという。

（長谷川真里『子どもは善悪をどのように理解するのか？』ちとせプレス）

（注）隠蔽行為：事実を偽ること、意図的に隠すこと

1 筆者は、一般的に恥はどんなときに生じると述べているか。

1 他者に迷惑をかけてしまったことで、自分自身の評価にどのような影響が出るのかを考えたとき

2 自分の能力がそれほどではないのにも関わらず、他者から過大評価されたとき

3 他者から、自身の行動について低い評価をされ、周囲に十分認めてもらえていないと感じたとき

4 自らの身体的特徴や能力が低いと判断し、他者からも低い評価を受けていると思ったとき

2 罪悪感が生じる状況として、筆者の考え方に合うのはどれか。

1 完成直前の作品を壊してしまい、周囲の人を困惑させたとき

2 サービスをしてお客様に喜んでもらえたのに、上司に叱られたとき

3 必死に努力をしたが、後輩に仕事を奪われてしまったとき

4 犯罪を目の当たりにして、恐怖でその場から逃げたとき

3 この文章の内容に合うのはどれか。

1 人は恥を感じると他者との関わりを拒絶してしまいがちだが、罪悪感が生じた場合は他者との関わりがより一層深くなりやすい。

2 恥を感じている人には行動に共通した反応が見られるため、周囲の人は一時的に関わりを避けるようになる。

3 罪悪感は自分の言動が相手に負の影響を与えたのではないかと考えるときに生じるので、他者との関わりを結び直そうとする行動につながる。

4 罪悪感を持っている人は他者との関係を修復したいと望むため、自身の行動が他者に与える影響についてよく考えるようになっていく。

(2)

1 「赤信号みんなで渡ればこわくない」①——この句ほど日本人の意思決定に関わる心情を巧みに表現しているものはない。日本では、たいていの意思決定は純粋に個人で行うものではなく、かといって他人に任すわけでもなく、そのへんが不透明である。誰が何といおうと「私はこうする」と自己を主張する機会は少ない。それは、人生の大きな節目である、進学、就職、結婚などについての意

5 思決定についてもある程度いえることである。ところが、一度、1つの新しい道を歩みだすと、ほとんどやり直しがきかないのも長い間われわれの社会の特徴②であった。

(中略)

アメリカ人の決断は衝撃的ともいえるほど早い。成功の確率が6、7割あれば、決断する。失敗すれば、責任を取って辞めればよい、と考える。成功への賭をするのである。日本人は慎重だ。少

10 しでも失敗の可能性があれば躊躇(ちゅうちょ)する。失敗の責任は取りたくない。というわけで、自分だけの決断はほとんどせず、絶対確実だと思われるものに集団で決断する。決断したかぎり、失敗はできないと思い、石にかじりついてもやり遂げる。きわめて単純化した比較だが、この中に、2つの文化における人々の生き方や価値観が如実に表れている。

(古田暁・石井敏・岡部朗一・平井一弘・久米昭元『異文化コミュニケーション・キーワード 新版』有斐閣による)

1 筆者によると、①「赤信号みんなで渡ればこわくない」という句が表しているものは何か。

1 日本人の意思決定の仕方

2 日本人の主張のチャンスの少なさ

3 日本人の主張のあいまいさ

4 日本人の他人任せにする性質

2 ②われわれの社会の特徴とは何か。

1 成功する可能性に賭けて、意思決定を行うということ

2 失敗した場合は、決断した人が責任を取って会社を辞めるということ

3 一度決めたら、ほとんど後戻りは許されないということ

4 周囲の意見を聞かずに自己主張してはいけないということ

3 この文章の内容として最も適切なものはどれか。

1 責任の取り方がアメリカでは個人的、日本では集団的であることがわかる。

2 決断の仕方を比べると、日本人とアメリカ人の生き方や価値観が違うことがわかる。

3 決断するスピードを上げることによって、生き方や価値観を変えることができる。

4 失敗を恐れるより、成功に賭けたほうが、自分らしい生き方や価値観を大切にできる。

(3)

1 人間は、誰でもミスをするものです。ですから挑戦をしていくときに大切なのは、ミスをしないこと以上に、ミスをした後にミスを重ねて傷を深くしない、挽回(ばんかい)(注1)できない状況にしないことだと思っています。

ところが、実際はミスの後にミスを重ねてしまうことが多い。どうしてそうなってしまうかとい

5 うと、動揺して冷静さや客観性、中立的な視点を失ってしまうことが理由のひとつでしょう。

(中略)

もうひとつ、ミスにミスを重ねてしまう理由として、「その時点から見る」という視点が欠けてしまうことがあると思います。

将棋でいえば、先の手を考えていくときには、過去から現在、未来に向かって一つの流れに乗っ

10 ていることが大切になってきます。(中略)ところがミスをすると、それまで積み重ねてきたプランや方針が、すべて崩れた状態になるわけです。

すでに崩れてしまったのですから、それまでの方針は一切通用しない。そのときやらなくてはいけないのは、「今、初めてその局面(注2)に出会ったのだとしたら」という視点で、どう対応すればよいかを考えることです。それが「その時点から見る」ということです。

15 実際の対局(注3)では、ミスをすると、ついついその場で反省と検証を始めてしまいがちです。もちろん、同じミスを繰り返さないために反省と検証は大切です。でもそれは、対局が終わってからでいい。ミスをした直後には、とにかく状況を挽回(ばんかい)し、打開するために、その盤面(ばんめん)(注4)に集中しないといけない。「こうしておけばよかった」などと過去に引きずられずに、「自分の将棋は次の一手(注5)からはじまる」と、その場に集中していくことです。

(羽生善治『僕たちが何者でもなかった頃の話をしよう』文藝春秋による)

(注1) 挽回:失ったものを取り戻して、元の状態にすること。回復
(注2) 局面:状況
(注3) 対局:将棋の対戦
(注4) 盤面:将棋盤の表面
(注5) 一手:将棋で駒(こま)を一つ動かすこと

1 「その時点から見る」という視点が欠けてしまうとあるが、どういうことか。

1 ミスをした直後に原因を追求しようとしないこと

2 ミスをした時点を始まりの時点だと考えないこと

3 積み重ねてきたプランや方針に立ち返らないこと

4 未来の目標とする着地点から逆算して考えないこと

2 筆者はミスを重ねないために、ミスの後どうあるべきだと述べているか。

1 最初のプランや方針を生かしながらも新たな計画をするべきだ。

2 プランや方針を立てた時点に立ち返って客観的に評価するべきだ。

3 動揺せずに最初のプランどおりに遂行するべきだ。

4 頭を切り替えてその場の問題を解決することに意識を向けるべきだ。

3 この文章で筆者が言いたいことはどれか。

1 挑戦するうえでミスをすることは仕方がないが、ミスをしたことに気を取られ、打開できない状況に陥ることは避けなければならない。

2 ミスをしてしまったときには、過去から現在、未来に向かって理屈が通っていて、一貫性があるプランを立てるのが大切だ。

3 動揺して冷静さや客観性、中立的な視点を失ってしまうことで最初のミスが発生するので、常に冷静さを保たなければならない。

4 ミスをしないようなプランを立てることが大切だが、ミスをしたときは最初のプランに自信を持ち、むやみに変えないことが重要だ。

第7週　1日目

目標解答時間　20分

＿＿＿月＿＿＿日

内容理解（長文）Comprehension (Long passages)

次の文章を読んで、後の問いに対する答えとして最もよいものを、1・2・3・4から一つ選びなさい。

1　かつて思春期にある若者にとっては、親は乗り越えるべき怪物、強敵のような存在だった。それまでは何気なく聞いていた「顔洗ったの？」「もっと牛乳飲みなさい」といった指示や言いつけが、やっと出てきた自分らしさの芽を摘み取るハサミのように恐ろしく思えてくる。そして、「どうでもいいじゃない、私の勝手でしょ！」「牛乳なんて絶対飲まないからな」とつい声を荒げて、“怪物のハサミ”①から自我の芽を守ろうとする。親としては、子どもによかれと思って声をかけているのに、なぜそれほど反抗されるかわからない。「それが親に対する口のきき方なの？　黙って早く顔を洗ってきなさい！」と言い返し、いわゆる“切った張った(注1)”の親子ゲンカになってしまうことも少なくない。

ところが今の若者の多くは、そういう激烈な思春期の親子ゲンカの時期を体験していない。親も「○○しなさい」と口うるさく命じることもないし、たとえ言われたとしても、子どもの側もあらがう(注2)ことなく素直に「そうだね」と従う。より友好的な方向への変化が、親にも子にも起きているようだ。その関係を指して、一卵性(注3)親子とか友だち親子②と呼ぶこともある。

もちろん、怒鳴り合う親子よりは、いつも穏やかにすごす親子の方が好ましいようにも思える。しかし、そういった友だち親子の子どもの側が、ある年代になって思わぬ心の問題に直面することもある。以前、カウンセリングを担当していた二十代の女性は、両親との間で目立ったケンカをしたこともなく、大学を出て専門職についた。ところが、数年してから不安感や「これでいいの？」という不全感(注4)が高まり、生活にも支障が出てくるほどになった。彼女は言っていた。「私と両親はなんでも話し合うことができるので、とても恵まれていると思います」。ただ、あまりに両親とコミュニケーションしながらそこまでやって来た結果、彼女はどれが自分自身の気持ちでどれが親の気持ちなのか、自分でも判断がつかなくなっていたのだ。

親が乗り越えるべき壁として立ちはだかって(注5)いれば、それとの距離をはかることで自分自身の心理的な特性や傾向などを確認していくこともできる。しかし親と自分との間があまりに平らで地続きのまま育つと、大人になってからも自分を親から独立した存在として自覚できなくなってしまうことがあるのだ。そういう意味では、子どもから「あんたみたいな大人にはなりたくない」「お父さんなんて欠点だらけ」などときらわれることのできる親の方が“子ども孝行”なのかもしれない。

（香山リカ『若者の法則』岩波書店による）

（注1）切った張った：切りつけたり、殴ったり、乱暴なことをする様子
（注2）あらがう：抵抗すること
（注3）一卵性：１つの受精卵が２つに分かれて発育したもの
（注4）不全感：自分は不完全であり、何も満足にできないといった感情
（注5）立ちはだかる：手足を広げて、行く手をさえぎるように立つこと

1 ①“怪物のハサミ”とは何か。

1 子どもが親に向ける暴言
2 子どもが自分の意見を守るための手段
3 親が子どもの反抗を抑えるための指示
4 子どもが自我を脅かされるように感じる言葉

2 親子のケンカについて、筆者はどのように考えているか。

1 思春期の子どもと激しく言い争うことは決して悪いことではない。
2 親子間であれば暴力的なケンカも許される。
3 できるだけお互いの気持ちを尊重して、ケンカは避けるべきだ。
4 怒鳴り合うことなく穏やかにすごすことが重要だ。

3 ②友だち親子の関係で育った子どもに問題が起きたのはなぜか。

1 親子でケンカすることが許されず、自分の気持ちを押さえつけていたから
2 社会人になり、親元から自立を余儀なくされたことで不安になったから
3 親との距離が近すぎて、自分と親の感情の区別ができなくなってしまったから
4 親とは何でも話せる関係だが、他者とはその関係が築けないから

4 この文章の内容に合うものはどれか。

1 子どもにきらわれようと努める親の方が、実は親として正しい姿なのである。
2 親が子どもの障害になることで、子どもは自分自身を認識できるようになる。
3 親と子どもは決して友だち関係にはなれないということを忘れてはならない。
4 親子関係はコミュニケーションを取ってきた時間によって左右される。

統合理解 Integrated comprehension

次のAとBの文章を読んで、後の問いに対する答えとして最もよいものを、1・2・3・4から一つ選びなさい。

A

1 看護師という人の命を預かるからには、高い日本語能力が必要との声もあるが、外国人看護師に対して現状では必要以上の日本語能力を要求しているとの声もあがろう。いずれにせよ、日本語による国家試験が高い参入障壁となっている。考え方として、日本語の理解にはある程度の時間がかかるという前提で積極的に受け入れていくべきであろう。
5 母国では看護師としての資格を持ち十分な実務経験があるのであるから、その専門知識を活かしてもらうことを主眼にして、日本語に関しては問題なく使うことができるようになるまで、気長に待ち、その間は通訳などのサポートで補うことは可能だろう。

（杉野俊子・原隆幸『言語と格差』明石書店による）

B

1 少子高齢化に伴い、看護や介護現場は慢性的な人手不足に陥っている。そこで、日本政府は外国で資格を持ち働いている人たちに協力を求めた。しかし、いくら経験があるとはいえ医療体制や設備などの環境の違いから、母国と同じように即戦力として働けるものではない。また、現場で働く同僚との意思の疎通や患者との信頼関係を得るには、
5 やはり高い日本語能力が必要であると言わざるを得ない状況がある。確かに日本人でも難しい国家試験を期限内に、しかも日本語で外国人に受けさせることは厳しすぎるのかもしれない。しかし、命の現場で働く以上は、知識や言葉の正確さに妥協は許されないのではないだろうか。

1 AとBが共通して述べていることは何か。

1 専門知識を持つ外国人労働者の待遇について

2 国内で外国人看護師が増えている理由について

3 外国人看護師に頼らざるを得ない医療現場の状況について

4 外国人看護師が越えなければならない壁について

2 外国人看護師に対する日本語能力の要求について、AとBはどのように述べているか。

1 AもBも、命を預かる以上は高い日本語能力は必要だが、状況に合わせて柔軟に対応するべきだと述べている。

2 AもBも、難しい日本語は通訳などの支援を受け、専門知識を活かした働き方をすればいいと述べている。

3 Aは十分な専門知識があれば日本語能力は問うべきではないと述べ、Bは国家試験に合格するレベルが必須条件だと述べている。

4 Aは必要以上の日本語能力を求めていると述べ、Bは高い日本語能力を要求することは妥当だと述べている。

第7週 2日目

目標解答時間 20分

＿＿月＿＿日

内容理解（長文） Comprehension (Long passages)

次の文章を読んで、後の問いに対する答えとして最もよいものを、1・2・3・4から一つ選びなさい。

1　生まれたばかりの赤ちゃん（新生児）は、全く無力の真っ白な状態ですが、すぐに母親（養育者）から授乳や頬(ほお)ずりなどの働き掛けを受け、生後３カ月ごろには誰かがあやしたり、ほほ笑みかけたりすると、赤ちゃん自身がほほ笑むようになります。ですが、この“３カ月のほほ笑み”は誰に対しても反応するものです。

5　一方、生後６カ月になると、乳児は母親とそれ以外の人を区別できるようになります。これがいわゆる“人見知り”です。乳児は、泣いたり、むずかったり(注１)することで、自分が何をしてもらいたいかを伝えようとします。母親（養育者）がこれらの行動に対し、授乳やおむつ交換、抱っこなどで応じると、乳児は満足感と安心感を得るのです。そして、これらの対応を繰り返すことで、乳児は「自分の望んだことを望んだようにかなえてくれる」と感じ、周囲の人や世界に対しての安心感や信頼
10　感を得て、自分の身を任せられるという感覚が生まれるのです。

この感覚を、米国の心理学者エリクソンは“基本的信頼（感）”と呼びました。乳幼児期の心の発達で最も重要な課題は、この基本的信頼（感）を得ることなのです。乳児期にこの感覚が十分に育まれないと、子どもは成長してからも自分を肯定的に捉えることができず、「自分は他人から大切にされる存在である」「困った時は周囲が助けてくれる」「努力すれば何でもできる」といった感覚、<u>“自
15　己肯定感”</u>と言いますが、これらを得ることがとても難しくなります。

さて、このような母子関係が構築されると、乳児は常に母親（養育者）と一緒にいようとし、母親（養育者）が離れると不安がるようになります。また逆に、不安や恐怖を感じると母親（養育者）にしがみついたり(注２)、甘えたりすることで、その不安や恐怖に対処しようとします。

このように乳児が母親（養育者）に対して形成する絆(きずな)(注３)を、英国の精神科医ボウルビィは“愛着（アタッ
20　チメント）”と呼びました。この愛着行動により、自分が守られ支えられるという思いが、乳児の心をさらに成長させていきます。母親（養育者）を安全地帯として、外の世界に対する探索行動を始めるのもこの頃です。

また、乳児期後半では、コミュニケーションの基礎となる“指さし行動”が認められるようになります。これは、まだ十分に言葉を話せない乳児が、指先の延長線上にある対象物を、周囲にある
25　他の事物から抽出し、特定して人さし指を向ける行動で、その目的は、自分が興味の持った物や欲しい物に対し、他者の注意を向けさせるためと考えられています。逆に、他人の指示した物を目で追うなど、自己と他者との間で注意を向ける対象を合わせようとする能力が確立するのも、この時期です。つまり、これらの行動は“言葉の前の言葉”と言えるのです。

（塩入俊樹　岐阜新聞web 2019年09月23日 < https://www.gifu-np.co.jp/tokusyu/iryo/hdr/20190923-175643.html >による）

（注１）むずかる：子どもの機嫌が悪く、泣いたり暴れたりする
（注２）しがみつく：しっかりとつかんで離そうとしない
（注３）絆：人と人との固い結びつき

1 筆者によると、“自己肯定感”の獲得には何が必要か。

1　養育者が赤ちゃんをあやしたり微笑みかけたりすること
2　養育者が赤ちゃんの要求に応え信頼感を育むこと
3　赤ちゃんが母親とそれ以外の人が区別できるようになること
4　赤ちゃんに不安や恐怖の感覚と安心感や信頼感を経験させること

2 乳児の愛着行動について、文章の内容に合うのはどれか。

1　母親以外の人への不信感から愛着行動が起こる。
2　愛着行動は自分をどこまで受け入れてもらえるかを測るための行動である。
3　愛着行動で養育者を安全な場所と認識する時期に外の世界への探索も始まる。
4　愛着行動が満たされない状況で育つと探索行動に支障が出る。

3 乳児期後半に見られる“指さし行動”の目的について、文章の内容に合うのはどれか。

1　他者の言葉を理解するため
2　欲しい物を取ってもらうため
3　他者の興味に共感を示すため
4　自分の興味を他者に知らせるため

4 文章の内容に合うものはどれか。

1　赤ちゃんは無の状態で生まれるが、母親など周りが働き掛けることで反応を示すようになる。
2　生後６カ月程度の乳児の“人見知り”は、相手が安心して信頼できる人かどうか判断するために起こる。
3　乳児期に基本的信頼感を得られなかった子どもは、心身ともに健全な成長は見込めない。
4　“言葉の前の言葉”とは、大人からの働き掛けに対する赤ちゃんの様々な反応のことである。

統合理解 Integrated comprehension

次のAとBの文章を読んで、後の問いに対する答えとして最もよいものを、1・2・3・4から一つ選びなさい。

A

1 大人か少年かという境界について、すでに18歳以上から大人と認めている公職選挙法や、令和4年から18歳をもって大人とする民法と、20歳未満を少年とする現行の少年法とでは、その適用年齢に差異がある。そのため、法制審議会では、前者に合わせ少年法の適用年齢を18歳に引き下げるべきか否かの議論がなされている。

5 少年法の目的は、少年の健全な育成と非行少年の矯正(きょうせい)(注1)や生活環境の調整であり、更生(注2)し社会復帰させることである。現に、日本での少年犯罪は凶悪(きょうあく)犯罪も含め1980年から85年のピーク時の9分の1以下に減少しており、それは少年法による一定の成果だといえる。また現行の少年法は単に未成年を守っているばかりではない。凶悪(きょうあく)犯罪の場合、年長少年(18、19歳)に対しては最高死刑を言い渡せる。それを考えると各法上での年齢の差

10 異は小さいものに感じる。それよりも犯罪が起こる社会背景に目を向けるべきである。

B

1 少年による凶悪(きょうあく)犯罪には、被害者側をはじめ厳罰化を求める声は少なくない。ただピーク時に年間26万件に上った少年の刑法犯摘発(てきはつ)(注3)件数は2018年に3万件まで減り、凶悪(きょうあく)犯も含め大きく減少している。これこそ、家裁(かさい)(注4)が成育環境や家庭状況を調査し更生(こうせい)を支える現行制度の成果と分析する専門家も多い。

5 18、19歳は高校生や大学生が多く、なお成長過程にある。大人と同等の刑罰を科せば、教育的な指導が受けられず、更生はむしろ難しくなるとの指摘や、実名報道が社会復帰の妨げになり再犯を誘発(注5)しかねない、との懸念もある。(中略)

重要なことは、少年事件の背景に横たわる虐待、貧困、離婚の増加といったさまざまな要因を見据え、その解決に地道に取り組むことだ。少子化が加速する中、若い世代を

10 支え、立ち直りの機会を与えていくことは、日本社会が従来にも増して求められる命題であろう。

(西日本新聞　2020年8月20日付朝刊による)

（注１）矯正：欠点、悪習を正常な状態に直すこと
（注２）更生：精神的、社会的に立ち直ること
（注３）摘発：悪事、不正を探し公表すること
（注４）家裁：家庭裁判所の略
（注５）誘発：引き起こすこと

1　ＡとＢが共通して述べていることは何か。

1　少年法適用の年齢について

2　少年を取り巻く社会問題の例について

3　少年犯罪件数の推移について

4　少年と大人の境界について

2　少年犯罪を減らすための方策について、ＡとＢはどのように述べているか。

1　ＡもＢも、年長少年においては大人と同等の刑罰を科すべきだと述べている。

2　ＡもＢも、少年を取り巻く社会の在り方を見直すべきだと述べている。

3　Ａは法律ごとに成人とみなす年齢を統一させるべきだと述べ、Ｂは成長過程にある少年たちに更生のチャンスを与えるべきだと述べている。

4　Ａは法律の適用年齢の改正ではなく、刑罰の内容を改正するべきだと述べ、Ｂは刑罰の内容を厳罰化するのではなく、むしろ緩和するべきだと述べている。

第7週 3日目

目標解答時間 20分

月　日

内容理解（長文）Comprehension (Long passages)

次の文章を読んで、後の問いに対する答えとして最もよいものを、1・2・3・4から一つ選びなさい。

「自分らしく生きろ」という、一見すると子どもたちを勇気づけるように聞こえるメッセージは、実はその本音（ほんね）のところでは、「はやく『自分らしさ』というタコツボ（注1）を見つけて、そこに入って、二度と出て来るな（①）」と言っているのじゃないでしょうか。

だって、そうじゃないですか。自分らしさを見出すことにそれほど価値があるのだとしたら、「これが『自分らしい生き方』です」と宣言した後に、「あ、やっぱりあれはなしにしてください。違う生き方がしたくなっちゃいました」と言い出すことにはかなりの心理的抵抗があるはずだからです。

一度生き方を決めたら、自分の「ポジション」を決めたら、あとは一生そこから出てはならないという有形無形（ゆうけいむけい）の圧力を「自分らしく」という呪符（じゅふ）（注2）が生み出している……ということはないんでしょうか？

先日僕のところにメールを送ってくれた高校の先生がいました。その先生が僕に訊（たず）ねてきたのは、生徒たちが「自分が本当にやりたいこと」をはやく見つけることが学習指導のひとつの柱になっているけれど、それは正しいのでしょうか、ということでした。

「はやく自分が本当にやりたいことを見つけなさい」と言うと、生徒たちはあきらかにストレスを感じているように見える。はたして時間を区切って、いついつまでに「本当にやりたいこと」を具申（ぐしん）（注3）するようにというようなことを高校生に強制することに教育的な意味はあるのでしょうか、と。

これは本質的な問いだ（②）と思いました。

「自分らしさ」とか「個性」とか「本当にやりたいこと」とかいう言葉で装飾されていても、子どもたちは直感的にそれが「罠（わな）にはめられて」「息ができなくなって」「身動きできなくなる」状態へ誘導するものだということを感じている。

でも、「自分らしく生きなさい」という言葉に正面から反論するだけの理論武装は子どもたちにはありません。「『自分らしく生きろ』と言われていると、なんだかだんだん気分が滅入（めい）ってくるんですけれど、それはどういうわけでしょうか？」と力なく反論しても、たぶん先生も親も、誰も納得のゆく説明はしてくれないでしょう。

どうしてこんなこと（③）になってしまったのか。

それは今の日本社会が、「成熟する」ということが「複雑化」することだということを認めていないからだと思います。逆に、成熟することとは「定型に収まって、それ以上変化しなくなること」だと思って、そう教えている。

でも、そんなわけがないじゃないですか。

生物を見てごらんなさい。単細胞の生物が細胞分裂して、どんどん複雑なものに変わってゆく。
30 それが成長であり、進化である。人間だって同じです。

（内田樹『サル化する世界』文藝春秋による）

（注1）タコツボ：ここでは、自分だけの狭い閉鎖的な世界
（注2）呪符：まじないに使われる札
（注3）具申する：詳しく申し述べること

1 ①二度と出て来るなとはどういうことか。

1 自分らしさを守るため、他者と交流してはいけないということ
2 自分らしさとは何か考え直してはいけないということ
3 一度見つけた自分らしさに縛られてはいけないということ
4 自分の意見を言って自分らしさを主張してはいけないということ

2 ②これは本質的な問いだと言っているのはなぜか。

1 教育者なら誰もが疑問に思っている問いだから
2 社会全体の問題を浮き彫りにする問いだから
3 子どもには答えられない問いだから
4 直感的に答えることができる問いだから

3 ③こんなこととはどんな状況か。

1 自分らしく生きるということを考えると、子どもの気分が落ち込んでくるという状況
2 自分らしさを探すと、かえって自分らしく生きられなくなってしまうという状況
3 子どもに自分の本当にやりたいことをはやく見つけさせるという指導を学校で行うという状況
4 先生や親も、自分の本当にやりたいことを見つけられないという状況

4 筆者の考えに合うのはどれか。

1 自分らしさを見つけなければならないという考え方は、それ以上の変化を許容しないことにつながるので、人間の成熟を妨げる。
2 今の日本社会は、多様な生き方を認めていないので、成熟した社会だと呼ぶことはできない。
3 人間は成長するにつれて複雑化していくものなので、大人になってからでないと自分らしさを見つけることはできない。
4 自分らしく生きるとは何か、はっきりとした答えを出せない日本社会に、これ以上の成長は望めない。

統合理解 Integrated comprehension

次のAとBの文章を読んで、後の問いに対する答えとして最もよいものを、1・2・3・4から一つ選びなさい。

A

1 近年、介護の分野で、認知症や介護の予防・改善などを目的とした化粧療法が行われている。自己肯定感を高め、日々の生活にちょっとした高揚感をもたらす化粧品の存在は、更に高齢化が進む日本社会にとって、老若男女を問わず、欠かせないものになるだろう。アプリが加工を施し、オンライン上で簡単に「盛(も)れる」(注1)化粧ができる時代になったが、
5 実際に鏡の前に立ち、化粧をしながら一日のスケジュールを考えたり、その日の体調を自分自身で確認したりする時間は、「自分の心と向き合う時間」でもあり、心のバロメーター(注2)になっている。よって、化粧品はこれからの時代、デジタル技術によって進化し続けながら、人々の心を満たし、人が社会とのつながりを保つための「架け橋」であり続けるだろう。

(日本経済新聞　電子版<https://www.nikkei.com/article/DGXMZO64230070V20C20A9TBU000/>
2020年9月28日取得による)

B

1 俳優や男性アナウンサーの外見はこの10年で大きく若返った。すでに還暦(かんれき)(注3)を迎えていても40代に見える有名人も数多くいる。彼らは、もともとの外見に加えて、いつまでも若く見られるよう食事や生活習慣に気を遣い、テレビ出演の際のメイク(注4)に違和感が無いよう努力をしている。老化を取り繕うだけのメイクは滑稽(こっけい)な装飾となってしまうが、日
5 ごろの努力で実現したアンチエイジング(注5)にマッチしたメイクは「若さ」や「清潔感」だけではなく、「力強さ」や年齢から醸(かも)し出される「安心感」を発することができる。このような行動を彼らの特権とせず、男性が時にメイクをすることが一般的な社会になれば、誰しも彼らと同じ意識を持たざるを得なくなり、多くの中高年が健康な人生を送ることができるはずだ。

(日本経済新聞　電子版<https://www.nikkei.com/article/DGXMZO64230070V20C20A9TBU000/>
2020年9月28日取得による)

(注1)「盛れる」化粧：自分の見た目を実際よりもはるかによく見せるための化粧
(注2) バロメーター：指標
(注3) 還暦：60歳
(注4) メイク：化粧
(注5) アンチエイジング：老化予防の取り組み

1 AとBが共通して述べていることは何か。

1 新しいテクノロジーを使用した新時代の化粧

2 化粧が人間の自意識にもたらす効果

3 時と場合に合わせた化粧の必要性

4 本人の生活にそぐわない化粧のおかしさ

2 高齢者の化粧について、AとBはどのように述べているか。

1 AもBも、高齢者の老化を化粧で隠すことが寿命を延ばすのに有効だと述べている。

2 AもBも、高齢者が社会と関わるきっかけを与えるのに化粧が有効だと述べている。

3 Aは化粧が高齢者の気持ちを明るくするのに有効だと述べ、Bは化粧が高齢者を安心させるのに有効だと述べている。

4 Aは高齢者の心を満たす化粧療法が有効だと述べ、Bは化粧が若さを保つ生活習慣の手助けになるだろうと述べている。

第7週 4日目

目標解答時間 20分

＿＿月＿＿日

内容理解（長文）Comprehension (Long passages)

次の文章を読んで、後の問いに対する答えとして最も良いものを、1・2・3・4から一つ選びなさい。

1 「逆境をプラスに変える」というと、「物事を良い方向に考えよう」というポジティブシンキングを思い出す人もいるかも知れない。

しかし、雑草の戦略は、そんな気休め(注1)のものではない。もっと具体的に、逆境を利用して成功するのである。

5 たとえば、雑草が生えるような場所は、草刈りされたり、耕されたりする。ふつうに考えれば、草刈りや耕起(こうき)(注2)は、植物にとっては生存を危ぶまれるような大事件である。しかし、雑草は違う。草刈りや耕起(こうき)をして、茎がちぎれちぎれに切断されてしまうと、ちぎれた断片の一つ一つが根を出し、新たな芽を出して再生する。つまり、ちぎれちぎれになったことによって、雑草は増えてしまうのである。

（中略）

10 草刈りや草むしりは、雑草を除去するための作業だから、雑草の生存にとっては逆境だが、雑草はそれを逆手(注3)に取って、増殖してしまうのである。何というしつこい存在なのだろう。

（中略）

「ピンチはチャンス」という言葉がある。逆境を逆手に取って利用する<u>雑草の成功</u>①を見れば、その言葉は説得力を持って私たちに響いてくることだろう。

15 <u>ピンチとチャンスは同じ顔をしている</u>②のである。

生きていく限り、全ての生命は、何度となく困難な逆境に直面する。雑草は自ら逆境の多い場所を選んだ植物である。しかし、逆境のまったくない環境などあるのだろうか。雑草がこれだけ広くはびこっているのを見れば、自然界は逆境であふれていることがわかるだろう。

逆境に生きるのは雑草ばかりではない。私たちの人生にも逆境に出くわす場面は無数にある。そ

20 んな時、私たちは道ばたにひっそりと花をつける雑草の姿に、自らの人生を照らし合わせて<u>センチメンタルになる</u>③かもしれない。しかし、雑草は逆境にこそ生きる道を選んだ植物である。そして逆境に生きる知恵を進化させた植物である。

けっして演歌(注4)の歌詞のようにしおれそうになりながら耐えている訳でもないし、スポ根(注5)漫画の主人公のようにただ歯を食いしばって頑張っているわけでもない。雑草の生き方はもっとたくましく、

25 そしてしたたか(注6)なのである。

「逆境は敵ではない、味方である。」これこそが、雑草の成功戦略の真骨頂(しんこっちょう)(注7)と言えるだろう。

幾多の逆境を乗り越えて雑草は生存の知恵を獲得し、驚異的な進化を成し遂げた。逆境こそが彼らを強くしたのである。そして、逆境によって強くなれるのは雑草ばかりでない。私たちもまた逆境を恐れないことできっと強くなれるはずなのである。

30 「ピンチはチャンス。」

ゆめゆめ逆境を恐れてはいけないのだ。
(注8)

(稲垣栄洋『植物はなぜ動かないのか』筑摩書房による)

(注1) 気休め：一時的ななぐさめの行為
(注2) 耕起：農業において、土を掘り返したり反転させたりして耕すこと
(注3) 逆手に取る：相手の攻撃を利用して、逆にやり返す
(注4) 演歌：古くからある日本の流行歌
(注5) スポ根漫画：スポーツをテーマにした選手の根性を描いた漫画
(注6) したたか：しぶといこと
(注7) 真骨頂：そのものが本来持っている姿。本当の価値や能力
(注8) ゆめゆめ～ない：決して～ない

1 ①雑草の成功とは何か。

1 逆境に合わせて、増殖が進むように進化を遂げたこと
2 除去されることを見越して広範囲に点在したこと
3 雑草にとって逆境というものがなくなったということ
4 逆境を好むしつこい存在になったこと

2 ②ピンチとチャンスは同じ顔をしているとあるが、それはなぜか。

1 ピンチのように見える出来事でも、何かの拍子にチャンスに転じることが時々あるから
2 ピンチのように思える状況も、上手く利用することでチャンスにすることができるから
3 ピンチがなければ、それをどうにかしようという努力も生まれないし、成功するチャンスも訪れないから
4 ピンチを乗り越えて成功すれば、その時のピンチはチャンスだったということができるから

3 ③センチメンタルになるとあるが、それはなぜか。

1 敢えて逆境を選び懸命に生きる雑草の姿に、自分も挑戦し続けようと励まされるから
2 逆境の中で花を咲かせている姿が、知恵を獲得し進化してきたことを裏付けているから
3 自分と雑草の生きる姿を照らし合わせると、雑草は自分よりたくましく、したたかだから
4 厳しい境遇で雑草が必死に花を咲かせて頑張る姿が、自分の状況と重なって見えるから

4 「逆境」について、筆者はどのように述べているか。

1 人間にとって逆境はつらいものだが、植物にとっては生存になくてはならない事象である。
2 逆境を乗り越えることで強く成長できるという点において、雑草と私たちは同じである。
3 人間界は自然界ほど逆境にあふれているとは言えないが、万物、逆境は避けられないものだ。
4 人間からすれば逆境に見える環境こそが、植物にはまたとないチャンスである場合が多い。

統合理解 Integrated comprehension

次のAとBの文章を読んで、後の問いに対する答えとして最もよいものを、1・2・3・4から一つ選びなさい。

A

1 書籍や新聞などを以前に比べて読まなくなる、読む分量が少なくなる、といった傾向を「読書離れ」「活字離れ」と呼ぶ。近年、日本人の読書離れ、活字離れが叫ばれて久しい。しかし、様々なことが急速に移り変わっていく現代において、自らが考え、判断していく能力は極めて重要であり、文章を読むということの価値は、今後より一層増し
5 ていくであろう。文章を読み、それを理解し、その人自身の思考を展開することは、極めて能動的な行動であり、思考力や判断力といった能力を養うことにつながるからだ。

また、現代では、モバイル端末などのデジタルメディアの普及によって、過去に例のないほど膨大な文字情報があふれている。このような現状を踏まえると、本当の意味での読書離れ、活字離れはまだ起こっていないといえる。なにも紙媒体で読まなければな
10 らないということはない。とにかく多くの文章に触れ、それを読み込んでいくことが肝心なのである。

B

1 我が国においては、近年、生活環境の変化や様々なメディアの発達・普及などを背景として、国民の「読書離れ」「活字離れ」が指摘されている。

読書することは、「考える力」、「感じる力」、「表す力」等を育てるとともに、豊かな情操をはぐくみ、すべての活動の基盤となる「価値・教養・感性等」を生涯を通じて涵(かん)
5 養(よう)(注)していく上でも、極めて重要である。また、特に、変化の激しい現代社会の中、自らの責任で主体的に判断を行いながら自立して生きていくためには、必要な情報を収集し、取捨選択する能力を、誰もが身に付けていかなければならない。すなわち、これからの時代において、読み・調べることの意義は、増すことはあっても決して減ることはない。

このように見たとき、本を読む習慣、本を通じて物事を調べる習慣を、子どもの時期
10 から確立していくことの重要性が、あらためて認識される。

（文部科学省『これからの学校図書館の活用の在り方等について（審議経過報告）』による）

（注）涵養：ゆっくりと養い、育てていくこと

1　AとBが共通して述べている点は何か。

1　読書離れ、活字離れとはどのような現象であるかということ

2　読書離れ、活字離れの原因はデジタルメディアの普及であるということ

3　文章に触れる重要性は、今後さらに増えていくということ

4　幼少期の読書経験が、その後の人生に影響を与えるということ

2　AとBは何が重要だと述べているか。

1　AもBも、読書離れ、活字離れを食い止めることが重要だと述べている。

2　AもBも、子どものころから読書経験を積んでおくことが重要だと述べている。

3　Aはデジタルメディアで本を読むことが重要だと述べ、Bは紙媒体で本を読むことが大切だと述べている。

4　Aは多くの文章を読むことが重要だと述べ、Bは幼少期からの本に触れる習慣づけが重要だと述べている。

第7週　5日目

目標解答時間　20分

＿＿＿月＿＿＿日

内容理解（長文）Comprehension (Long passages)

次の文章を読んで、後の問いに対する答えとして最もよいものを、1・2・3・4から一つ選びなさい。

あなたたちの親の世代が働きだしたころは、日本の企業では多くが年功序列・終身雇用制をとっていた。つまり、歳を重ねるに従って地位や給料が上がり、一度入社するとよほどのことがない限り定年（55歳とか60歳とか）まで働くことができるという制度だ。

仕事人生を旅となぞらえると、終身雇用制はちょうどパック旅行のようなものだ。会社から与えられた仕事を律儀にこなしさえすれば、人それぞれ差はあるものの、給料も地位もそれなりに上がっていった。将来のことなんか考えなくても、会社が敷いてくれたレールに乗っかっている限り<u>なんとかなった</u>①わけだ。

なにしろ定年まで働くことが前提だったから、会社と個人は運命共同体と考えられ、特に男性の場合は家庭を奥さんに任せっきりにして、仕事中心の生活を送っていた。

ところが、1991年にバブル経済が崩壊したころから、会社と社員の関係ががらりと変わることになる。90年代中ごろから、中高年社員のリストラ（人減らし）が盛んになる。経済が低迷し、どの企業も経営が苦しくなり、給料の高い中高年社員が重荷になった。そこで、企業はそれまでの企業と従業員は一心同体みたいな考え方を180度転換して、社員との関係をドライに考えるようになった。

簡単に言ってしまえばこういうことだ。「会社はあくまで仕事をするところ、だから寄り掛からないでほしい。あなたの人生はあなたのものだから、これからは自分で考えて生きてよね。他に有利な仕事があれば自由に転職してもらってけっこう。ただし、それでどうなろうと自分の責任でね！」。

そして、中高年社員を対象に希望退職を募ったり、首切りをするようになった。<u>そのころ</u>②から、若い会社員が中心となって、転職することが当たり前のように行われることになり、<u>世の中の勤労観がパック旅行スタイルからひとり旅スタイルへと変わっていった</u>③。

前述したようにひとり旅は、目的地をどこにするかとか、交通手段とか、宿の手配などぜんぶ自分がしなければいけない。いろんなことを調べてあれこれ考えプランを練るのは旅の楽しみでもある。しかし、旅にはハプニングがつきもの。とんだトラブルに巻き込まれることもあれば、ラッキーなこともある。楽観的に考えれば「それが旅の面白さ」でもあり、悲観的に考えれば「だから、ひとり旅は危ない」となる。

いずれにしても、あなたたちが社会人になれば、ひとり旅スタイルで仕事人生という旅をする覚悟をしておいたほうがいい。

（桑島紳二・花岡正樹『フツーな大学生のアナタへ～大学生活を100倍エキサイティングにした12人のメッセージ～』くろしお出版による）

1 ①なんとかなったのはなぜか。

1　一度入社すればよほどのことがない限り、定年まで働けていたから

2　個人の能力の差を、お互いに補い合っていたから

3　奥さんに任せて仕事に集中することができたから

4　将来のことをあれこれと考えるよりも、目の前の仕事を優先していたから

2 ②そのころとあるが、いつのことを指しているか。

1　わたしたちの親の世代が働き始めたころ

2　男性が仕事中心の生活を送っていたころ

3　バブル経済崩壊の影響が出てきたころ

4　わたしたちが社会人になるころ

3 ③世の中の勤労観がパック旅行スタイルからひとり旅スタイルへと変わっていったとあるが、どういうことか。

1　チームで協力して働くという考え方から、個人で働くという考え方へ変わったということ

2　自分の将来について、会社にすべて任せるという考え方から、自分自身で考えて選択するという考え方になったということ

3　家庭を顧みない仕事中心の働き方から、人生をどう楽しむかを考える働き方に変わったということ

4　年功序列・終身雇用の制度に守られた働き方から、常にリストラに怯えなければならない働き方になったということ

4 これから社会人になる人に対する忠告として、筆者の考えに合うのはどれか。

1　年功序列や終身雇用のある企業を見つけて就職したほうがいい。

2　昇進のためには、与えられた仕事を律儀にこなしていったほうがいい。

3　世の中の勤労観に左右されずに就職先を選んでいったほうがいい。

4　就職したら会社に守ってもらおうという考え方を捨てたほうがいい。

統合理解 Integrated comprehension

次のAとBの文章を読んで、後の問いに対する答えとして最もよいものを、1・2・3・4から一つ選びなさい。

A

1 「チャット人間」である私にとって、チャットは特別な快楽をもたらしてくれるコミュニケーション・ツールだった。だが、チャットで起きたさまざまな事件に遭遇するにつれ、チャットは快楽だけではない、大切なものを破壊しかねない何か、を孕(はら)(注1)んでいることに気づかされた。もし、チャットが人格を崩壊させるような負の影響を与えるツールなの
5 だとしたら、やはり「チャットは怖い」という結論になってしまう。けれども、私はチャットが好きだった。実際、長年チャットをしてきて「怖い」と思うより「楽しい」と思った瞬間のほうがはるかに多いのだ。そして私は、何より、チャットがもたらした特別な喜びを知っている。ならば、長い間チャットの恩恵に浴してきた「チャット人間」としては、チャットがほんとうに人を変えてしまうのか、もし変えてしまう危険があるのだ
10 としたらそうならないためにはどうしたらいいか、ということについて真剣に考える必要がある。

（室田尚子『チャット恋愛学』PHP研究所による）

B

1 人間関係の構築の仕方は時代とともに変化している。中でも現代的なのが「チャット」と呼ばれるインターネットのコミュニケーション・ツールを使って会話を楽しむ方法だ。一般的にチャットでは身元を明かす必要がないため、社会的な立場などを気にせず素の自分でいられることや、架空の人物になれることなどから、若者を中心に支持されている。
5 最近では、個人的な悩みなども、友人に話すよりインターネット上で見ず知らずの人に話すほうが気が楽だという若者も多いと聞く。自分の正体を知られていると、自分の発言や行動が人からどう見られるかということが気になってしまうからだ。現実の人間関係に辟易(へきえき)(注2)してしまった若者にとっては、チャットは居心地のいい場所であり、抜け出せなくなるものなのだろう。しかし、犯罪に巻き込まれるケースも多く、利用者の危機管
10 理意識やモラルが問われている。

（注1）孕む：中に含んで持つ
（注2）辟易する：うんざりする

1 AとBが共通して述べていることは何か。

1 チャットの居場所としての価値について

2 チャットの快楽性と危険性について

3 チャットを利用する人の特徴について

4 チャットが人間関係に及ぼす影響について

2 AとBの内容に合うものはどれか。

1 AもBも、自己体験をもとにチャットに潜む危険性について述べている。

2 AもBも、チャットが支持される理由を第三者の立場から述べている。

3 Aは実体験を交えながらチャットの危険性と向き合う必要性について述べ、Bはチャットに依存する若者の心理と問題点について述べている。

4 Aはチャットが危険なものだと誤解されていることへの無念さについて述べ、Bはチャット利用者のモラルの欠如について述べている。

第8週 1日目

目標解答時間 20分

＿＿＿月＿＿＿日

主張理解（長文）Thematic comprehension (Long passages)

次の文章を読んで、後の問いに対する答えとして最もよいものを、1・2・3・4から一つ選びなさい。

昨年度、小中学校を30日以上欠席した児童・生徒の数は16万4千人を超え、98年度以降で最多となった。中学の場合、40人の学級に1人はいる計算だ。各校からの報告を文部科学省(注1)がまとめて、先日公表した。

増えたのは「無理に登校する必要はない」との考えが浸透(注2)してきた結果でもあろう。2年前に教育機会確保法が施行され、民間のフリースクールなど、子どもの事情に応じた多様な学びの場を用意することの大切さが確認された。自治体も6割が公立の受け皿を設けている。

一方で、本当は学校に行きたいのに行けない子がいるのも事実だ。子どもを遠ざけている原因を探り、取り除く。国や教育委員会、各学校現場にはその責務がある。それは学校を良くする糸口にもなるはずだ。

不登校の理由（複数回答）は家庭の状況38％、いじめを除く友人関係28％、学業不振22％、教職員との関係、学校のきまり各3％などとなっている。

少子化による学校の小規模化に悩む地域は多く、子どもが日常的に接する友だちや先生が固定化する傾向にある。そこでうまく人間関係を築けなかった子どもにとって、学校は息が詰まる場所になってしまう。

学級、学年をこえた活動や交流行事を増やす。その学年を担当する全ての教員が、全ての生徒に目配りする「全員担任制」を試みる。そんな試みを重ねて、風通しのいい学校をつくることが求められる。

解せない(注3)のは、同じ調査で「いじめ」が小中あわせて52万件を超え、やはり過去最多となったのに、不登校の理由では1％未満とされたことだ。学校側の認識が間違っている可能性はないか。子どもの側へのアプローチ(注4)も定期的におこない、実態に迫る必要がある。

「学業不振22％」という数字も、学校の存在意義にかかわる深刻な問題だ。休むと授業についていけなくなる。疎外感(注5)を抱き、さらに足が遠のく。この悪循環を断つには、欠席期間中も独自に勉強を続けられるようにする工夫が欠かせない。

たとえば、校長の裁量(注6)でIT教材を使った自宅学習を出席扱いにできる制度があるが、昨年度の利用者は小中あわせて115人にとどまった。学校によって対応に差があるとの指摘もある。文科省は改めて趣旨の周知を図ってほしい。

背景に貧困問題が隠れていることも多い。勉強の遅れを取り戻すにせよ、校外に学びの場を探すにせよ、家庭に経済的な余裕がないとなかなか思うようにならない。民間の無償の学習支援活動に助成(注7)するなど、格差を広げない施策の充実が必要だ。

（朝日新聞デジタル <https://www.asahi.com/articles/DA3S14229220.html?iref=sp_rensai_long_16_article>
2021年4月7日取得による）

（注１）文部科学省：教育の振興や生涯学習の推進などを見る国の行政機関の一つ。後述の「文科省」はその略
（注２）浸透：思想や雰囲気などが次第に広がること
（注３）解せない：納得できない　理解できない
（注４）アプローチ：接触
（注５）疎外感：自分だけ仲間外れにされているような感覚
（注６）裁量：自分の考えで判断し、処理すること
（注７）助成：経済的な援助を行うこと

1　この文章によると、学校を休む子どもが増えたのはなぜだと考えられるか。

1　学校以上に学びたいことが学べる施設が増えたから
2　家庭の事情を考慮した無料の民間学校ができたから
3　登校することに対する世間の考えが変わってきたから
4　学校から自分が遠ざけられていると感じる子どもが増えたから

2　この文章によると、国や教育機関にはどのような責任があるか。

1　子どもに学校以外にも受け入れてくれる施設があると知らせる責任
2　全ての子どもが不安なく学べるように多様な受け皿を増やす責任
3　子どもが学校を避ける原因を究明し、その不安要素をなくす責任
4　子どもがうまく人間関係を築けるように出会いの場を提供する責任

3　筆者はこの調査のどのような点が納得できないと言っているか。

1「いじめ」の件数のわりに、それが不登校の理由にほとんど挙がっていない点
2　学校が考える不登校の理由と子どもが思っている真の理由に全くずれがない点
3　学校が定期的に不登校の子どもに会って理由を聞いた結果だという点
4　不登校の理由で「学業不振」が予想以上に高い割合を占めている点

4　筆者は、学業不振による不登校の問題を改善するにはどうすべきだと言っているか。

1　無理に登校する必要はないという考え方をもっと教育現場に浸透させ、子どものプレッシャーを取り除くべきだと言っている。
2　自宅学習を出席扱いにする制度のねらいを再度周知させるほか、経済的な心配をせずに学べる環境を整えるべきだと言っている。
3「全員担任制」を導入し、誰もが教室や子どもを見渡せる開かれた教室作りを目指すべきだと言っている。
4　不登校の問題は親の経済状況が大いに影響するので、義務教育である小中学校は無償にするべきだと言っている。

情報検索 Information retrieval

右のページは、亀池公園保全利用促進部「緑と歩む会」のお知らせである。下の問いに対する答えとして最もよいものを、1・2・3・4から一つ選びなさい。

1 大丸区に住むユカさんは娘と「春の味覚」に参加したいと考えている。申し込み方法として正しいものはどれか。

1 ハガキにイベント名・自分の名前・年齢・住所・電話番号を記入して、2月4日から2月14日の間に「緑と歩む会」事務局へ着くように出す。

2 ハガキにイベント名・自分と娘の名前・年齢・住所・電話番号を記入して、2月7日から2月14日の間に参加費と一緒に「緑と歩む会」事務局に持って行く。

3 メールでイベント名・自分の名前・年齢・住所・電話番号を記入して、2月7日から2月14日の間に「緑と歩む会」事務局へ申し込む。

4 メールでイベント名・自分と娘の名前・年齢・住所・電話番号を記入して、2月4日から2月14日の間に「緑と歩む会」事務局へ申し込む。

2 「亀池公園友の会」会員のサビーナさんは5歳の息子と園内を周りながら自然を探索したいと思っている。無料で参加できるイベントはいくつあるか。

1 1つ　　2 2つ　　3 3つ　　4 4つ

3月のイベント

亀池公園自然観察グループ「緑と歩む会」ではお子様とその保護者を対象とした自然教室を開催しています。

①3月4日（土）	**春の目覚め　活動の春だ！ 冬眠から目覚めよう**
内　容	園内を散歩しながら、地形や自然を利用した遊具で遊びます。
参加費	１家族200円
時　間	13:00〜15:00
対　象	６歳から13歳までの子どもとその保護者
定　員	10家族程度
申し込み期間	２月１日〜２月７日
②3月5日（日）	**春の足音　植物はどのように春が来るのを待っている？**
内　容	花のつぼみや樹木の観察。起伏の少ないコースと斜面コースを歩きます。
参加費	１家族200円
時　間	10:00〜12:00
対　象	４歳から13歳までの子どもとその保護者
定　員	20家族程度
申し込み期間	２月１日〜２月14日
③3月25日（土）	**春の味覚　タケノコってどこにあるの？**
内　容	竹林エリアで採れたタケノコを使ってタケノコ料理を作ります。
参加費	１家族200円
時　間	10:00〜12:00
対　象	５歳から13歳までの子どもとその保護者
定　員	10家族程度
申し込み期間	２月７日〜２月14日
④3月26日（日）	**春の色　どうして春の色はピンクと答える人が多いの？**
内　容	散歩しながら園内の動植物の説明を聞いた後、年輪や桜をスケッチします。
参加費	１家族300円
時　間	9:00〜12:00
対　象	４歳から13歳までの子どもとその保護者
定　員	20家族程度
申し込み期間	２月７日〜２月21日

申し込み方法

メールまたはハガキに以下の項目を書いて、お申し込みください。（ハガキの場合は締め切り日の消印有効）

①イベント名　②参加される方全員の氏名、年齢　③住所　④電話番号

※大丸区在住者と「亀池公園友の会」会員の方は優先的に各申し込み開始日の３日前からお申し込みいただけます。

注意事項

・申し込み期間中に応募いただいた方の中から抽選で決定いたします。当選者に関しましては申し込み期間終了後、数日以内にご連絡いたします。
・対象年齢以外のお子様はご参加いただけません。
・広報等のため参加者を写した写真をホームページに掲載することがございます。
・安全で動きやすい服装でご参加ください。
・「亀池公園友の会」会員の方が代表者の場合、すべてのイベントに200円引きでご参加いただけます。

お申し込み・お問い合わせ先

亀池公園保全利用促進部　「緑と歩む会」事務局

目標解答時間 20分

＿＿月＿＿日

主張理解（長文）Thematic comprehension (Long passages)

次の文章を読んで、後の問いに対する答えとして最も良いものを、1・2・3・4から一つ選びなさい。

科学が対象とする現象は、いつでも、どこでも、誰でも、それが再現できねばならない。繰り返し実験で同じ現象が生じることが確かめられなければ、普遍性があるとは言いがたいのだ。科学の客観性は再現可能性で保証されるのである。しかし、一回きりの現象も扱わねばならない場合が多い。宇宙の創成（注1）と進化、地球の生成（注2）と進化、生物の誕生と進化など、（特に歴史性を問題とする場合）私たちは、一つの例しか知らないし、それを再現してやり直すわけにもいかない。だから、たまたまの偶然による巧（うま）い組み合わせで生じた現象なのか、物理法則に従って必然的な道をたどったのかは明らかではない。だから、一回きりの現象が科学の対象になるのかならないのかの議論①は、これまで何度も繰り返されてきた。

しかしながら、現代では、一回きりであってもそれは必然的に生じた事象であり、研究するに値するという合意ができている。偶然のように見える事象であっても必然の過程から位置づけられるはずだから、徹底して必然性を追求すれば合理的に説明できるという考え方を採用しているためである。言い換えるなら、自然が歩んだ道は（一見偶然に見えるが）論理から外れた偶然はなく、すべて必然の範疇（はんちゅう）（注3）で説明できると信じているのだ。例えば、地球上における生命の誕生物語は、ある特殊な化学物質がたまたま偶然に出会って反応した結果としてではなく、さまざまな組み合わせが試された上での必然的な産物であるとみなし、それを調べ上げることに傾注（注4）する。そうすれば偶然も必然のひとつとなる。宇宙論におけるビッグバン（注5）や地球科学におけるプレートテクトニクス（注6）も、そのような方向②で研究され、現在では正統的理論として確立している。

そこに底流（注7）している信念は、「自然の一様性の原理」である。自然界の現象は一見するとバラバラに見え、たまたま例外事象が起こったかのようだが、そこには何らかの規則性があって筋をたどることができ、またそうすることによって因果（いんが）（注8）関係を明らかにできる、と考えるのだ。むろん、これは森羅万象（しんらばんしょう）（注9）にわたって成立しているとは限らない。全く偶然に起こった事象が原因となって結果を変えてしまう場合もあり、それを解きほぐすのは簡単ではない。しかし、果敢（かかん）（注10）に挑戦して何らかの辻褄（つじつま）を合わせていくのが科学の営みなのかもしれない。

（池内了『科学の限界』筑摩書房による）

（注1）創成：初めて作り上げること
（注2）生成：新たに作り出すこと
（注3）範疇：範囲
（注4）傾注：精神や力を一つのことに集中すること
（注5）ビッグバン：宇宙の始めの大爆発

（注６）プレートテクトニクス：地球表面の変動はプレートの境界で起こるという学説
（注７）底流：底にある思想、感情、勢いなど
（注８）因果：原因と結果
（注９）森羅万象：宇宙間に存在するすべてのもの
（注10）果敢に：思い切って

1 ①一回きりの現象が科学の対象になるのかならないのかの議論とあるが、一回きりの現象が科学の対象にならないと考えるのはなぜか。

1 科学は繰り返されている現象のみを取り上げるものだから
2 再現ができないため、科学の客観性が保証されないから
3 一回きりの現象は必ず偶然であって、科学が入りこむ余地はないから
4 一回きりの現象では、将来、その証明が再び必要になるかが保証できないから

2 ②そのような方向とは何か。

1 偶然的な事象でも徹底して必然性を追求すれば合理的に説明できるという考え方
2 一回しか起こっていない現象でも科学の対象とするために、再現を試みようとする考え方
3 一回きりの偶然の事象はこの世に存在せず、すべて研究価値があるという考え方
4 ビックバンやプレートテクトニクスの仕組みを研究し、真理を解き明かすべきだという考え方

3 現在の科学者たちについて、文章の内容に合うのはどれか。

1 一回きりの事象を研究する必要性を感じる科学者は少数派である。
2 多くの科学者は、地球上の生命は奇跡の積み重ねで生じたものだと考えている。
3 一つの例しかない事象は、再現可能かどうかに関わらず研究の対象にしている。
4 合理的な説明ができない事象の存在を科学者たちは認めている。

4 筆者の考えに合うのはどれか。

1 偶然性の高い事象でも、徹底して必然性を追求すれば、再現可能性を保証できるという考え方を採用すべきである。
2 普遍性が認められなければ、必然的に生じた事象とは言えないため、再現可能性を実証していくのが科学の使命である。
3 自然界で起こる現象は、偶然に見えるものであってもすべて必然に起こるものであり、その普遍性を立証していくのが科学の営みである。
4 科学とは再現可能な事象ばかり取り上げるのではなく、一回きり、あるいは偶然に起こったと見える事象でさえ追求し、規則性を求めていくものである。

情報検索 Information retrieval

右のページは、東北市にある駐輪場の案内である。下の問いに対する答えとして最もよいものを、1・2・3・4から一つ選びなさい。

1 西南市に住む大学生のリンさんは、東北市の駐輪場に9月26日から10月25日までの30日間、毎日、自転車を預けたいと思っている。リンさんが安く利用すると、全部でいくらかかるか。

1 1,500円

2 1,700円

3 2,000円

4 2,600円

2 木村さんはバイクで東北市まで旅行する予定だ。金曜日の晩に到着して、日曜日の午前中には東北市を出発する。一昨年買ったバイク用の回数券がまだ5枚残っているので、できれば使いたいと思っている。新しい回数券を買うつもりはない。どのような手順で東北市の駐輪場を利用すればいいか。

1 到着日の晩に、管理室に断ってから以前購入した回数券に押印し、バイクに2枚貼る。

2 到着日の晩に、管理室に断ってから以前購入した回数券に押印し、バイクに3枚貼る。

3 到着日の晩に、一時利用券を日数分購入し、バイクに貼る。

4 到着日の晩と翌日の晩に、一時利用券を1枚ずつ購入し、バイクに貼る。

東北市　駐輪場案内

東北市では市内中心部をはじめ、各駅周辺に駐輪場を整備しています。放置自転車は歩行者や緊急車両の通行の妨げになるばかりでなく、都市景観も損ないます。ルールを守って安全に利用しましょう。

利用可能車種および利用料金

	自転車	バイク
一時利用券	100円	150円
定期１か月	1,200円（1,500円）	1,800円（2,200円）
定期３か月	3,500円（4,200円）	5,300円（6,300円）
定期６か月	6,500円（7,800円）	9,800円（12,000円）
回数券（12枚）	1,000円	1,500円

＊（　　）内料金は東北市外在住の方の料金です。

利用方法　利用券は自転車やバイクの後部の見やすいところに貼付してください。

１）一時利用

券売機で一時利用券を購入の上、ご利用ください。なお、一時利用券は発券から24時間有効です。時間は利用券に印刷されています。２日以上連続で利用される方は、利用券の有効期限内に新しい券を再度購入して貼り替えてください。

２）回数券利用

券売機で回数券（12枚）を購入し、利用時に管理室で日付印を押印の上、ご利用ください。回数券の払い戻しはできませんのでご了承の上ご購入願います。回数券１枚のご利用時間は一時利用券と同様です。２日以上連続で利用される方は管理室にその旨をお申し出になり、日数に応じて日付印押印の上で、並べて貼付してください。なお、回数券の使用期限は購入日から１年間です。

３）定期利用

毎月25日～翌月５日の間のみ各駐輪場で申し込むことができます。利用開始日からの定期期間ではなく、毎月１日から末日までの定期ですので、購入をお考えの際は申込期間にご注意ください。

第8週 3日目

目標解答時間 20分

＿＿月＿＿日

主張理解（長文）Thematic comprehension (Long passages)

次の文章を読んで、後の問いに対する答えとして最もよいものを、1・2・3・4から一つ選びなさい。

知識はすべて借りものである。頭のはたらきによる思考は自力による。知識は借金でも、知識の借金は、返済の必要がないから気が楽であり、自力で稼いだように錯覚する①ことをもできる。

読書家は、知識と思考が相反（あいはん）する関係にあることに気がつくゆとりもなく、多忙である。知識の方が思考より体裁がいいから、もの知りになって、思考を圧倒する。知識をふりまわして知的活動をしているように誤解する。

本当にものを考える人は、いずれ、知識と思考が二者択一の関係になることを知る。つまり、もの知りは考えず、思考をするものは知識に弱い、ということに思い至るだろう。知識をとるか思考をとるか、大問題であるが、そんなことにかかずらわる（注1）には、現実はあまりに多事（たじ）である。高等教育を受けた人間はほとんど例外なく、知識信仰になる。

本を読んでものを知り、賢くなったように見えても、本当の人間力がそなわっていないことが多い。年をとる前に、知的無能になってしまうのは、独創力に欠けているためである。知識は、化石みたいなもの②。それに対して思考は生きている。

知識、そして、思考の根をおろしているべき大地は、人間の生活である。その生活を大切にしない知的活動は、知識の遊戯でしかない。いくら、量的に増大しても、生きていく力とのかかわりが小さい。

（中略）

知識は本によって伝承されてきたのだから、読書好きの人は知らず知らずのうちに、知識第一主義のとりこ（注2）になって“遊民（ゆうみん）”（注3）になった。高等遊民（こうとうゆうみん）ということばがかつて存在した。

いったん知識信仰に入ってしまうと、生活を復元することは容易ではない。めいめいの足もとを照顧（しょうこ）（注4）することは至難（しなん）（注5）のわざである。

そう考えると、本を読むことが、かならずしもよいことではないということがはっきりする。

まったく本を読まないのがいいというのではない。いまの時代、完全に文字から絶縁した生き方を考えることはできない。

問題はどう見ても、生きる力とは結びつかない、知識のための知識を不当によろこぶ勘違いである。知識メタボリック症候群（しょうこうぐん）（注6）にかかっていては、健全な生き方をしていくことは叶わない。知識を捨てることによって健康をとりもどす可能性をさぐる人がもっと多くなくては、たくましい社会にならないだろう。

知識があると、本来は役に立たないものでありながら、それを借用したくなる。そしてそれを自分の知識だと思っている。

30　仲間うちなら、トリなき里のコウモリ(注7)、よろしく、知識でも羽振(はぶ)り(注8)がいいかもしれないが、他流試合だと借りものの知識では役に立たない。まして、その知識が相手からの借り物である場合、いわば犯罪的になる。③いまの日本は国際化に当たって、いろいろな面において苦しい立場におかれているのもそのためである。

（外山滋比古『乱読のセレンディピティ ―思いがけないことを発見するための読書術』扶桑社による）

（注1）かかずらわる：関わり合いを持つ
（注2）とりこ：何かに心を奪われた人
（注3）遊民：何の仕事もしないで遊んで暮らしている人
（注4）照顧する：自分の行いを反省して確かめる
（注5）至難のわざ：とても難しいこと
（注6）知識メタボリック症候群：無駄な脂肪のように知識をつけること
（注7）トリなき里のコウモリ：ある分野について大して優れているわけではないのに、周りに自分より優れた人がいないからといって、偉そうにする人のこと
（注8）羽振りがいい：地位や権力・金力に恵まれて、威勢のいい様子

1　①錯覚するとあるが、どのような錯覚か。

1　得た知識を使って豊かな生活ができると思うこと
2　得た知識を人のために役立てる必要はないと思うこと
3　得た知識を自分で考えついたものだと思うこと
4　得た知識は自分の頭をよくするのに役立つと思うこと

2　②知識は、化石みたいなものとあるが、どういう意味か。

1　知識は過去の積み重ねであり、その上に現在の思考が成り立つということ
2　知識は過去の積み重ねであり、集めることにのみ価値があるということ
3　知識は過去の物であって、独創的な思考を支えるにすぎないということ
4　知識は過去の物であって、生きていく力にはなりにくいということ

3　筆者は読書についてどのように述べているか。

1　もっと読書をして、生きた思考を深めるべきだ。
2　思考を妨げるので、読書は一切するべきではない。
3　もっと実際の生活に利益をもたらす本を選んで、読書するべきだ。
4　読書はほどほどにして、自分で考えることを大切にするべきだ。

4　③いまの日本は国際化に当たって、いろいろな面において苦しい立場におかれているとあるが、それはなぜだと筆者は考えているか。

1　日本に根ざした思考ではなく、外国から得た知識を使っているだけだから
2　外国人に比べて、日本人は知識信仰に陥っているから
3　日本人は外国の本を読まず、外国に関する知識が足りないから
4　自分で思考して、日本に役に立つ知識がどれかを見極めていないから

情報検索 Information retrieval

右のページは、イロハ区の子育て支援制度の案内である。下の問いに対する答えとして最もよいものを、1・2・3・4から一つ選びなさい。

1 次のイロハ区民のうち、この制度を利用できるのは誰か。

1 自分が帰宅する19時まで、自宅で小学生２人を預かり、食事を作って食べさせてやってほしい鈴木(すずき)さん

2 自分が仕事に行かなければならない９時から13時の間、自宅で熱のある３歳児の看病を頼みたい川井(かわい)さん

3 ５月20日から25日までの６日間、朝と夕に区内で小学生１人の送り迎えをしてほしい佐々木(ささき)さん

4 放課後、ピアノ教室に寄って帰宅した小学生を、自分が帰宅する20時まで預かってほしい渡辺(わたなべ)さん

2 中井(なかい)さんには小学生の子どもが３人いる。この制度を利用して、今週の土曜日に３時間、３人の面倒を見てもらう予定だったが、急に予定が変更になり、前日の夜20時にキャンセルの連絡を入れた。キャンセル料はいくらかかるか。

1 1,600円

2 2,000円

3 2,400円

4 3,000円

イロハ区　子育て支援制度

育児の援助が必要な方（利用者）に対し、育児援助を行いたい方（協力者）を紹介します。

● 利用者…生後６か月以降、12歳までのお子さんのいる区内在住の方

● 協力者…区内および隣接区在住の方。区が定める研修を修了した方

【支援内容】

・保育園、幼稚園、小学校への送迎

・保育園、幼稚園、小学校の放課後の一時預かり

・保護者不在時の一時預かり

※病児支援、区外の施設への送迎、習い事の送迎、調理・掃除等の家事援助は支援内容に含まれません。

【利用可能時間】　７時から20時まで

【利用可能回数】　一世帯、月に10回まで

【預かり場所】　協力者宅・利用者宅および児童館など

【料金】

曜日	時間	金額
月～金曜日	１時間	800円
土・日・祝	１時間	1,000円

※１時間未満の活動も、１時間とみなします。

※１日に朝・夕など２回活動を行った場合は、それぞれ１回の活動とみなします。

※兄弟姉妹を同時に預けた場合は、２人目から半額となります。

※交通費や子どもの食費等は利用者が負担します。

【キャンセル料】

・前日17時までのキャンセル ………… 無料

・前日17時以降のキャンセル ………… 予定していた活動の料金１時間分

・無断キャンセル ………………………… 予定していた活動の料金全額

お申し込み、お問い合わせは kosodate-shien@xxx.net まで

第8週 4日目

目標解答時間 20分

＿＿月＿＿日

主張理解（長文）Thematic comprehension (Long passages)

次の文章を読んで、後の問いに対する答えとして最もよいものを、1・2・3・4から一つ選びなさい。

世の中が変わって、①言語コミュニケーションの経験を積むのが容易でなくなってきたのは事実だ。習慣化されれば苦労することなく身につくが、経験したくとも、習慣自体が時代とともに消滅してしまうこともある。それは、電話でのやりとり一つとっても言えることだ。

（中略）

携帯電話が普及する前は、中学生や高校生が友達と電話で話したいと思ったときに、必ず通らなければならない関門のようなものがあって、そのための敬語を身につけざるを得なかった。最初に受話器を取る可能性のある、友達の家族、特に親、特に父親への口のきき方を学ぶという「通過儀礼」だ。

友達の母親とはある程度気心も知れていて、「タロウですけど」と言えば、「あら、タロウちゃん、元気？ ちょっと待ってね」とすぐ友達を呼んでもらえた。または、タロウの近況や家族の安否が話題になって、ひとしきり、言ってみれば世間話をしたものだ。親しい友達の母親でも、他人であることに変わりない。そのような存在と言葉を交わすことによって、他者とのコミュニケーション経験を積むことができたのだ。

母親ならまだ気が楽だ。友達の父親の場合、特に男子生徒が女子生徒の家に電話をかけたときに父親が出たりしたら、純情な高校生は緊張してしまう。「山田（やまだ）さんのお宅でしょうか。A高校の山下（やました）と申しますが、ハナコさん、いらっしゃいますか」とだけ言うのに、途中で三回ぐらい言葉に詰まるのだ。

昔の子供たちは、大方、こうした「プチ敬語」体験を積んで、大人になっていった。今の子供は、こういった経験ができなくなった。別の言い方をすれば、こんな気づまりな思いをしなくてもよくなった。このことだけをとって、今の子が幸せかそうでないか判断することはできない。ものごとの一面だけを見ても何もわからない。電話で用いる敬語を実地訓練で身につける機会は確かに減ったが、敬語に関してわからないことがあったら、インターネット上で気軽に質問して、たちまちのうちに回答を得ることができるようになった。

②敬語を身につけるのも自己責任になったということか。方法はある。少なくなったとはいえ機会はあるのだから、それらを積極的に利用する。映画や小説で疑似体験を積む。周りの大人たちのコミュニケーション行動を観察する。そして、きちんと敬語の使えている大人を見つけて、その人が話しているのをよく聞いて、真似をする。

大人のすべきことは、手本となるように努めることだ。何度もやってみせる。繰り返し聞かせる。そして、やらせてみる。よい見本になる自信がなかったら、自信をつける。中高年は学習が好きだ

から、すぐに覚えるだろう。思い出すだろう。できるようになると自信がつく。その姿をまるごと、
30 若い人に見せればいい。

(野口恵子『バカ丁寧化する日本語　敬語コミュニケーションの行方』光文社による)

1 ①言語コミュニケーションの経験を積むのが容易でなくなってきたとあるが、その要因としてあげられることは何か。

1 情報化社会への変化に伴い、言語コミュニケーションの重要性が疑問視され始めてきたこと
2 携帯電話を手に入れるために親を説得するという通過儀礼の必要性がなくなったこと
3 携帯電話の普及により、言葉遣いを意識せざるを得ない身近な大人と話す機会が失われたこと
4 昔は大人になるために敬語の勉強が必須だったが、時代の変化でそれが不要になったこと

2 筆者は「プチ敬語」体験とはどのようなものだと述べているか。

1 友人の親と親しくなれるもの
2 緊張して居心地が悪いと感じるもの
3 純情な高校生だけが体験できるもの
4 インターネットを利用してできるもの

3 筆者が②敬語を身につけるのも自己責任になったと考えているのはなぜか。

1 敬語を身につけさせるために、以前は友達の親などを含め、みんなで敬語を教えていたが、現在では各家庭の責任においてなされるようになったから
2 敬語習得について、以前は教育機関がその責務を負っていたが、現在では、親が敬語を教えていかなければならなくなったから
3 敬語を身につけるために、以前はその習得を促す機会が多くあったが、現代では自らが行動していかないと習得できなくなったから
4 敬語の習得に関して、以前は大人が手取り足取り敬語について教えていたが、現在ではそれについて大人が何の責任も負わなくなったから

4 敬語について、筆者が最も言いたいことは何か。

1 現代の若い人は敬語を使いこなせていないので、中学生や高校生のときから極力電話をかけさせ、日常的に敬語を使用する習慣をつけるべきだ。
2 情報化社会である現代では、インターネット上で敬語についての知識が簡単に得られるので、若い人こそすぐにマスターすることができる。
3 現代の若い人は、現実世界で敬語に親しむ機会が減少しており、それゆえ、映画や小説などの創作作品の世界の中から敬語を勉強するほかない。
4 大人は、若い人の敬語習得のために繰り返し学ぶ機会を与えると同時に、自らも学び、自信をつけていく過程を隠すことなく見せていくことが必要だ。

情報検索 Information retrieval

右のページは、ある映画館のホームページにある“シネマメイト”入会案内である。下の問いに対する答えとして最もよいものを、1・2・3・4から一つ選びなさい。

1 “シネマメイト”の会員になると受けることができるサービスはどれか。

1 全国の映画館で安く映画を見ることができる。

2 優先的に座席を予約することができる。

3 映画の先行上映会に必ず参加することができる。

4 ショップの雑誌が毎月無料で読める。

2 橋本さんは、“シネマメイト”会員である。あさって30日に、映画を見ようと思っているが、会員証の有効期限が明日29日で終了することに気がついた。30日に会員割引料金で映画が見られ、かつ年会費が安く済む方法はどれか。

1 29日までに窓口へ行き、継続入会の手続きをする。

2 29日までにオンラインで、継続入会の手続きをする。

3 30日に窓口へ行き、継続入会の手続きをする。

4 30日に窓口へ行き、新規入会の手続きをする。

“シネマメイト”入会案内

会員登録

“シネマメイト”会員特典

- 当映画館のご利用に限り、何度でも平日1,000円、休日1,300円の割引料金で映画を見ることができます。
- 通常、３日前から予約を受け付けていますが、会員の方は１週間前からご予約いただけます。人気の映画も一足お先にお好みの座席を確保することができます。
- 当映画館では、年に数回、会員の方だけを対象とした映画の先行上映会を開催しております。話題作を無料で、いち早くご覧になることができます。（応募者多数の場合は抽選とさせていただきます。）
- 最新の映画情報に関する情報誌を隔月無料でお届けします。
- 館内のショップをご利用の際、カウンターでの会員証のご提示で５％の割引が受けられます。

入会方法

新規入会、継続入会ともに、下記のいずれかの方法でお申し込みください。

<窓口>　窓口に設置してあります入会申込書にご記入いただき、年会費をお支払いください。その場で会員証を発行いたします。発行したその日から、特典をご利用いただけます。

<オンライン>　このホームページ右上の「会員登録」をクリックし、必要事項をご入力ください。年会費のお支払いはクレジットカード決済のみになっております。年会費のお支払いが確認でき次第、会員証を発行し、ご自宅へ送付いたします。会員証の到着までには、１週間程度かかります。

年会費（１年間有効）　**新規入会：1,000円**
継続入会：800円

※継続入会とは、会員証の有効期限日より１か月前から期限内に手続きをする場合を指します。会員証の有効期限が終了した場合は、再度、新規入会手続きを行ってください。
※入場の際、会員証をご提示いただきます。なお、理由によらず、会員証を確認できない場合、恐れ入りますが通常料金をお支払いいただきます。

第8週 5日目

目標解答時間 20分

＿＿＿月＿＿＿日

主張理解（長文）Thematic comprehension (Long passages)

次の文章を読んで、後の問いに対する答えとして最もよいものを、1・2・3・4から一つ選びなさい。

1　現在、環境問題がさまざまに議論されています。一口に環境問題といっても、地球温暖化・オゾン層の破壊・熱帯林の減少・酸性雨・有機化合物や有毒金属による地球汚染など、多くの問題にわたっており、対策も個々の問題に応じて異なっています。逆に、原因はただ一つです。人間の諸活動が、環境問題を引き起こしているからです。地上に人類が現れて以来、地球環境は汚染され続けてきた
5　と極論を言う人もいます。実際、人類の手で多くの種が絶滅させられました。しかし、人類も自然に生まれてきた生物の一つですから、その活動が環境に影響を与えるのは必然なのかもしれません。

ただ、人類は生産活動を行うという点で他の生物とは異なった存在であり、自然では作り得ない物質を生産し、その大量消費を行うようになったのも事実です。その結果、人類の活動が地球の環境が許容できる能力と匹敵するほどのレベルに達しており、自然では浄化しきれない人工化合物が
10　あふれ、新しい生命体を作る試みすらし始めています。人類は、意識しているかどうかは別として、環境を根本的に変えかねない事態を招いているのです。

かつては「環境は無限」と考えられていました。つまり、環境の容量は人類の活動に比べて圧倒的に大きく、すべてを吸収処理してくれると思ってきたのです。だから、廃棄物を平気で海や空に捨て、森林を切り、海や湖を埋立て、ダムを造ってきました。しかし、環境が無限でないことを、
15　さまざまな公害によって学んできました。また、陸にも海にも砂漠化が進み（海にも砂漠化が進み、海藻（かいそう）が枯れています）、自然の生産力が落ち始めています。確かに、このままの消費生活を続けると、地球の許容能力を越え、カタストロフィー（注）が起こるかもしれません。人類の未来は、環境問題の危機をいかに乗り切るかにかかっていると言っても過言ではないでしょう。二一世紀は、まさにこの課題に直面する時代となるに違いありません。

20　（中略）

この地球環境の危機に対し、「原始時代のような生活に戻れ」という主張をする人がいます。大量消費が原因なのですから、それをやめればいいという単純な発想です。しかし、それは正しいのでしょうか。いったん獲得した知識や能力を捨てて、原始時代の不安な生活に戻れるものなのでしょうか。生産力の低い生活に戻れば、どれほど多くの餓死（がし）者が出ることでしょう。はたして誰が、それを命
25　じることができるのでしょうか。たぶん、答えは、そんな<u>知恵のない単純なもの</u>ではないと思います。なすべきことは、現在の私たちの生き方を振り返り、いかなる価値観の変更が必要で、そのためには、科学がいかなる役目を果たすべきかを考えることではないでしょうか。

（池内了『科学の考え方・学び方』岩波書店による）

（注）カタストロフィー：破滅的な災害など自然界や人間社会における大変革

1　この文章によると環境問題の原因は何か。

1　人間の生産と消費活動

2　地球の浄化能力の限界

3　多くの種の絶滅

4　人類の誕生と進化

2　筆者は、人間と他の動物が違うのは、どのような点だと述べているか。

1　人間は自然に生まれてきた生物であるという点

2　人間は自然にはない物質を生産するという点

3　人間は環境の限界を学ぶという点

4　人間は環境の破壊も創造もできるという点

3　知恵のない単純なものとはどんな考え方か。

1　これまでに獲得した知識や能力を捨てようという考え方

2　現在の私たちの価値観を変更しようという考え方

3　科学が果たすべき役目を変更しようという考え方

4　原始時代のような生活に戻ろうという考え方

4　筆者は環境問題に対して、どうすべきだと述べているか。

1　すべての科学を捨て、原始時代に戻ることは不可能でも、できるところから科学に依存しない生活を始める努力が必要だ。

2　大量生産、大量消費という生活様式を捨て、生産性の低い生活に戻るために、科学がいかなる役目を果たすべきかを考えるべきだ。

3　人類の生活様式を内省し、環境保全のためにどんな価値観を持つべきか、そこで科学をどう生かせるかを考えるべきだ。

4　現状から「環境は無限」でないことを学び、環境問題の危機をいかに乗り切るかを真剣に考えるべきだ。

情報検索 Information retrieval

右のページは、もみじ市の市民芸術祭の案内である。下の問いに対する答えとして最もよいものを、1・2・3・4から一つ選びなさい。

1 もみじ市の大学に通う留学生のチンさんは、映画サークルの仲間と「秋の恵み」をテーマに動画を作り、展示が決定した。チンさんはこれからどのようにするか。

1 9月30日までに作品データと応募シートと学生証のスキャンを、もみじ市広報課へ送る。
2 9月30日までに作品データと応募シートと学生証のスキャンを、もみじ美術館へ送る。
3 10月12日までに作品のDVDを市民センターへ届けに行く。
4 10月17日までに作品のDVDを市民センターへ届けに行く。

2 もみじ市に住んでいる田中さんは、娘と一緒に作った作品と自分の作品を出品しようと思っている。今のところ娘と一緒に作ったテーブルゲームを団体で、田中さんが一人で作ったセーターを個人で応募する予定である。このほかに田中さんが個人で応募できる作品はいくつあるか。

1 1つ
2 2つ
3 3つ
4 4つ

もみじ市　市民芸術祭

もみじ市では今年も恒例の「市民芸術祭」を開催いたします。応募数が展示予定数を超える場合がございますので、あらかじめ審査を行い、展示する作品を決定します。

◆参加条件　もみじ市にお住まいの方、あるいは、もみじ市に通勤通学されている方

◆募集期間　９月15日（水）～９月30日（木）

◆展示期間とジャンル　いずれのジャンルも「秋」をテーマにしたもの。

展示期間	ジャンル	内容	個人	団体※
A： 10月15日（金）～ 10月31日（日）	絵　画	油絵、水彩画など	可	不可
	写　真	秋の植物が映っているもの	可	不可
	動　画	秋の風景をテーマにしたもの（最長15分）	不可	可
B： 10月20日（水）～ 10月31日（日）	服　飾	服、アクセサリーなど身に付けるもの	可	不可
	オブジェ	金属、ガラス、粘土などで作った立体作品	可	不可
	おもちゃ	木製のおもちゃ、カードゲーム、パズルなど	可	可

※２人以上連名で応募する場合は「団体」の扱いとなります。

◆応募方法　以下をもみじ市広報課(kouhou@momizy-city.jp)までメールでお送りください。
①応募シート
②居住、通勤通学の証明ができるもの（運転免許証、学生証、社員証など）のスキャン
③作品の全体がわかる写真（絵画・服飾・オブジェ・おもちゃに応募する方のみ）
④作品のデータ（写真・動画に応募する方のみ）

◆注意事項　・応募点数について
１人で複数の作品を応募することは可能ですが、個人か団体かを問わず、１人が同じジャンルに２点以上応募することはできません。
・展示が決定した作品について
審査結果はメールでお知らせします。展示が決定した方は、展示開始の３日前までに、作品を市民センターまでお持ちください。郵送は受け付けません。なお、動画の場合はデータを収めたDVDの提出をお願いします。

◆展示場所　もみじ美術館１階「みんなの広場」

◆主催　もみじ市広報課（市民センター５階）

言葉を覚えよう４

※＿＿＿＿には意味を調べて書きましょう。

な形容詞

語	意味	例文
□大(おお)まかな	＿＿＿＿	細かい説明はいらないので、まず大まかな内容を教えてください。
□穏(おだ)やかな	＿＿＿＿	普段穏やかな先生が急に怒り出し、学生はみんな驚いた。
□おろそかな	＿＿＿＿	最近歯磨きがおろそかだったので、小さい虫歯ができてしまった。
□温和(おんわ)な	＿＿＿＿	私は、父に似た温和な性格の人と結婚したいと思っている。
□過剰(かじょう)な	＿＿＿＿	頭痛や不眠は、体が過剰なストレスを受けているサインだ。
□画期的(かっきてき)な	＿＿＿＿	飛行機の発明は、世界を変える画期的な出来事だった。
□過密(かみつ)な	＿＿＿＿	来月の仕事の過密なスケジュールを見て気分が悪くなった。
□簡潔(かんけつ)な	＿＿＿＿	仕事ができる人のメールは、簡潔でわかりやすい。
□頑固(がんこ)な	＿＿＿＿	父はとても頑固で、絶対に自分の考えを曲げない。
□几帳面(きちょうめん)な	＿＿＿＿	彼女は几帳面な性格で、机の上の整理整頓を欠かさない。
□劇的(げきてき)な	＿＿＿＿	インターネットの登場は人間の生活に劇的な変化をもたらした。
□厳重(げんじゅう)な	＿＿＿＿	皇居の近くはいつも警備が厳重だ。
□豪華(ごうか)な	＿＿＿＿	豪華な客船に乗って世界一周旅行をするのが夢です。
□しとやかな	＿＿＿＿	彼女はしとやかなイメージがあるが、実はとても活発な人だ。
□柔軟(じゅうなん)な	＿＿＿＿	社長は若い社員の柔軟な発想に期待していると言った。
□健(すこ)やかな	＿＿＿＿	健やかな成長を願って、母は私を健と名付けた。
□精巧(せいこう)な	＿＿＿＿	その彫刻には精巧な細工が施されている。
□せっかちな	＿＿＿＿	林さんは仕事には一生懸命だが、少しせっかちなところがある。
□絶大(ぜつだい)な	＿＿＿＿	山田課長はその仕事ぶりで、部下から絶大な信頼を得ている。
□鮮明(せんめい)な	＿＿＿＿	私は３歳の時に住んでいた町の鮮明な記憶がある。
□壮大(そうだい)な	＿＿＿＿	私は壮大な景色に圧倒されて、言葉が出なかった。
□巧(たく)みな	＿＿＿＿	その詐欺師は巧みな話術でこれまで何人もだましてきたという。
□なめらかな	＿＿＿＿	新発売のスマホの特徴は、やはり画面のなめらかな動きだろう。
□のどかな	＿＿＿＿	老後は都会を離れ、田舎でのどかな暮らしがしたいと思っている。
□華(はな)やかな	＿＿＿＿	アイドルは華やかなイメージがあるが、実はとても大変な仕事だ。
□明白(めいはく)な	＿＿＿＿	目撃者が何人もいるので、彼が犯人だということは明白な事実だ。
□明瞭(めいりょう)な	＿＿＿＿	先生の発音が明瞭でなく、ところどころ聞き取れなかった。
□面倒(めんどう)な	＿＿＿＿	店長はいつも私に面倒なことばかり押し付けてくる。
□綿密(めんみつ)な	＿＿＿＿	プロジェクトはまず綿密な計画を立てるところから始まる。
□厄介(やっかい)な	＿＿＿＿	厄介なトラブルに巻き込まれないように注意しよう。
□ろくな	＿＿＿＿	お金がなくなり、３日間ろくなものを食べていない。

聴解編

Listening

例題と解き方 ～聴解編～

課題理解 Task-based comprehension

ある場面で具体的な課題の解決に必要な情報を聞き取り、適切な行動が選択できるかを問う。上司と部下、教師と学生、親と子ども、客と店員、夫婦などの２人の会話が多い。選択肢は問題用紙に印刷されている。

例題１ N1-1

1 表現を修正する。
2 グラフのサイズを変える。
3 文字の色を変える。
4 資料をコピーする。

スクリプトはp.164

<聞く順番>

状況説明・質問

会話

質問

STEP 1 質問を聞いて、「誰がするのか」を把握しよう

☞ 質問では、誰の行動について聞かれているのかを正確に聞き取る。

例：「女の人は、このあと何をしますか。」「学生は、これから何をしなければなりませんか。」

STEP 2 「するべきこと」に、優先順位をつけよう

☞ 会話の中に「あれをして」「これをして」といくつもの指示が出てくる。選択肢を見ながら会話を聞き、「これからすること」「しなくてもいいこと」「もう終わったこと」などをメモしていき、最も優先順位が高いものを選ぶ。

☞ 注意する言葉

「Aをしたら、B」「Aが終わったら、B」「Aが済んだら、B」「Aをした上で、B」など
　➡Aを優先する

「Aより先に、B」「Aよりもまず、B」など
　➡Bを優先する

「すぐに」「まず」「最初に」「はじめに」「至急」など
　➡優先順位が高い

「それはいい（必要ない）」「それはそのまま」など
　➡優先順位が低い

ポイント理解 Point comprehension

事前に示されている聞くべきことを踏まえ、ポイントを絞って聞くことができるかを問う問題。選択肢は問題用紙に印刷されており、話を聞く前に、選択肢を読む時間がある。

例題 2 N1-2

1 足を踏まれたから
2 周りの人に笑われたから
3 誰も助けてくれなかったから
4 駅員さんに迷惑をかけたから

スクリプトはp.164

<聞く順番>

状況説明・質問

[選択肢を読む時間（約20秒）]

会話／独話

質問

STEP 1 質問を聞いて、どのポイントについて答えるか把握しよう

☞ 質問を聞くときは、疑問詞（何、いつ、どこ、どうして など）を聞き逃さないように注意する。疑問詞によって、答えに関係するポイントがわかる。

疑問詞	注意して聞くポイント
どうして／なぜ	**理由を表す言葉** 例：「～から」「～ので」「～し～し」「～んです」「だって～」「～ものだから」「～くて」「～たことから」「～をきっかけに」
何	**意思や好みを表す言葉** 例：「～がいい」「～はいやだ」「～にする」「～に決めた」「～が一番」「何と言っても～」「特に～」「やっぱり～」
誰	**役職名や職業名** 例：「社長」「店長」「部長」「警官」「医者」「先生」
いつ	**時間を表す言葉** 例：「～曜日」「～日」「～時」「午前」「午後」「その前」「その後」
どこ	**施設名** 例：「映画館」「図書館」「プール」「公園」「学校」 **位置を表す言葉** 例：「右」「左」「前」「後ろ」
いくつ／いくら	**数・量・金額を表す言葉** 例：「～円」「～個」「合計」「半分（半額）」「あと～円」「足りる」「足りない」「～人分」「割引」
どんな／どう	**気持ちや性格を表す言葉** 例：「楽しい」「優しい」「新しい」「難しい」「静かな」「親切な」 **状態や状況を表す言葉** 例：「疲れた」「困った」

STEP 2　音を意識しながら選択肢を読もう

☞ 質問文の後、話が読まれるまで約20秒あるので、その間に選択肢を読んでおく。意味を把握しておくことはもちろんだが、話に出てくる表現や言葉がそのまま選択肢になっている場合が多いので、どのような音で発音されるか頭の中で確認しておくと聞き取りやすくなる。

STEP 3　話を聞きながら、選択肢に×をつけていこう

☞ 話の中の問いかけに対して肯定しているか、否定しているかよく聞き、否定された選択肢を消していく。「うん／ううん」などは聞き流してしまいがちなので、要注意。

☞ 話の中の言葉が、選択肢では別の言葉に言い換えられていることもある。表現が違うからといって、すぐ×にしない。

概要理解　Summary comprehension

話全体から話者の意図や主張などが理解できるかを問う問題。会話ではなく独話であることが多い。問題用紙には何も印刷されていないため、選択肢も聞き取らなければならない。

例題３　♪ N1-3

（この問題は、問題用紙に何も印刷されていません）

スクリプトはp.165

<聞く順番>
状況説明
▼
独話
▼
質問
▼
選択肢（４つ）

STEP 1　これからどんな話が読まれるか、予測しよう

☞ 最初に、「誰が」「どんな場面で」話しているか、状況を説明する文が読まれるので、それをヒントにして、この後どんな話が続くのか予測する。

例１：「テレビでレポーターが話しています」➡ ニュース／商品の説明／天気予報　など
例２：「医者が講演会で話しています」➡ 健康促進や病気の予防について　など

STEP 2　メモを取ろう

☞ 話を聞き終わるまで質問がわからないので、話を聞いている間はできるだけメモを取る。何度も出てくる語彙や表現に要注意。

☞「楽しかった」や「疲れた」など別々に話した感想が、選択肢で「楽しかったけど疲れた」のようにまとめられることが多いので、感想や意見などはできるだけ多くメモを取る。

☞ 話に出てくる通りの言葉が選択肢に使われているとは限らないので、メモを取るときは、きれいに一語一句書き取ることよりも、記号や自分の母語を活用して、後で自分が見てわかりやすいように書く。

STEP 3 聞き取った言葉をまとめよう

☞ 話を聞いた後、話のテーマ、概要、主張は何かを問う質問が流れる。

例：「先生の話のテーマは何ですか」「レポーターは何について伝えていますか」 など

☞ 選択肢の終わりの言葉に注意する。特に「～の方法」「～の目的」「～の理由」「～の効果」「～の機能」「～の影響」「～の特徴」「～のきっかけ」「～の仕組み」などは、よく選択肢に出てくるので、これらの言葉の意味は最低限覚えておく。

即時応答 Quick response

1～2文の短い発話を聞いて、それに対する適切な応答が即座に選べるかを問う問題。依頼、質問、感想、意見、確認など様々なパターンがある。問題用紙には何も印刷されていないため、選択肢も聞き取らなければならない。

例題4 ♪ N1-4
♪ N1-5
♪ N1-6

（この問題は、問題用紙に何も印刷されていません）

スクリプトはp.165

<聞く順番>
短い文
▼
選択肢（3つ）

STEP 1 初めの発話を聞いて、どんな場面の会話なのか想像しよう

☞「いつ」に注意（これからするのか、もうしたのか）

例： 男：パーティー、行けばよかった。➡ パーティーは過去のこと。実際は行かなかった。
女：1 楽しそうだね。
2 楽しいと思うよ。
3 楽しかったよ。➡ **正答**

☞「誰がするのか」に注意（言った人がするのか、答える人がするのか）

例： 女：わかり次第、連絡よろしくね。➡ 連絡するのは答える人（男）
男：1 はい、早くしてくださいね。
2 はい、そうします。➡ **正答**
3 はい、すぐに連絡したはずです。

STEP 2 文型・表現に注意しよう

☞ 即時応答では、話し言葉で使われる表現が多く問われる。話し言葉と書き言葉を整理しておこう。慣用表現や挨拶の表現なども出題されるので、しっかり覚えること。

STEP 3 イントネーションに注意しよう

☞ 同じ言葉でも、イントネーション（音の上がり下がり）によって意味が変わるものがある。特に文の終わりの言い方に注意する。

例：　これ、いいね？ ⤴ ➡ いいかどうか確認している
　　　これ、いいね。⤵ ➡ いいと思っている

統合理解 Integrated comprehension

長めの話を聞いて、複数の情報を比較・検討し、統合して答えを選ぶ問題である。１番と２番は２～３人の会話を聞いて答えを選ぶ問題。３番は、まず１人があるテーマについて話した後（独話）、その内容について２人が話す形式の問題である。１番と２番は問題用紙に何も印刷されていないが、３番では選択肢が印刷されている。

➤１番・２番

（この問題は、問題用紙に何も印刷されていません）

スクリプトはp.166

<聞く順番>

状況説明
▼
会話
▼
質問
▼
選択肢（４つ）

STEP 1 テーマを把握しよう

☞ 何についての話かに注意する。会話の最初のほうに話のテーマが述べられることが多い。

STEP 2 4つのキーワードを探そう

☞ 選択肢は印刷されていないので、会話を聞きながら、選択肢になりそうなキーワードを聞き取り、それぞれの意見や主張、メリット、デメリットなどの特徴をできるだけメモしておくこと。

STEP 3 話の結論を選ぼう

☞ 会話の後で、「どこに行くことにしたか」「何をすることにしたか」など、話し合いの結論は何かを問う質問が流れる。

☞ 話の結論は、会話の中で以下の言葉とともに出てくることが多いので注意する。

①積極的な意見を言う時の表現

例：「ぜひ～たい」「～がいいと思う」「～がいいよ」「～にしよう」

②相手の意見を肯定的に受け止める表現

例：「それもいいんじゃない？」「それはおもしろそうだね」「じゃあ、それにしよう」

③相手に妥協することを示す表現

例：「～はしかたないね」「～はしょうがないか」「～は気にしないよ」

➤3番

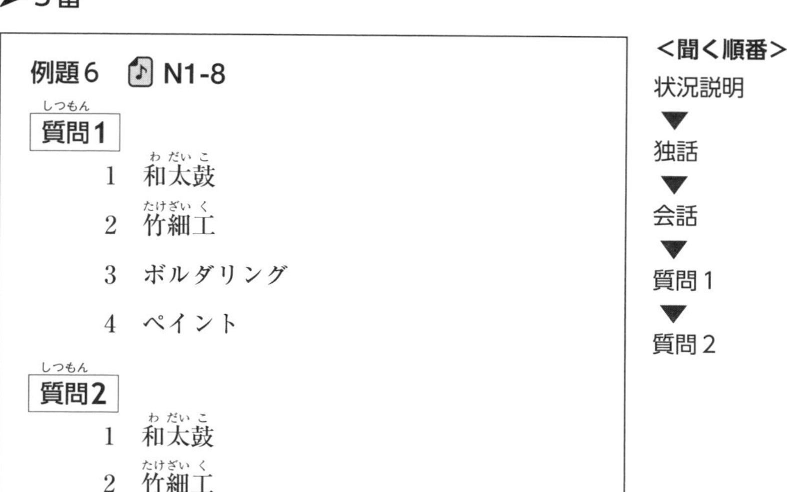
例題６ N1-8

質問１

1 和太鼓
2 竹細工
3 ボルダリング
4 ペイント

質問２

1 和太鼓
2 竹細工
3 ボルダリング
4 ペイント

スクリプトはp.167

<聞く順番>

状況説明
▼
独話
▼
会話
▼
質問１
▼
質問２

STEP 1 特徴を聞き取ってメモしよう

３番は、選択肢が印刷されている。独話の中に、それぞれの選択肢のメリットやデメリットなどの特徴が出てくるので、聞きながら選択肢の隣にメモを取る。

STEP 2 選択肢を見ながら２人の意見を聞こう

独話が終わるとすぐ、独話の内容についての２人の会話が始まる。STEP 1のメモを確認しながら、２人がそれぞれの選択肢についてどのような意見を言っているか聞き取る。

STEP 3 話の結論を選ぼう

会話の後に、２人がそれぞれどんな結論を出したかについて質問が流れる。最終的にそれぞれが選んだ選択肢はどれかを答える。

質問は２つあるので、どの登場人物についての質問なのか、絶対に聞き逃さないように。

例：　質問１：「男の人は、どのコースに申し込みますか。」
　　　質問２：「女の人は、どのコースに申し込みますか。」

例題1　スクリプト　N1-1

男の人がすることを聞く。

会社で男の人と先輩が話しています。男の人はこのあとまず何をしますか。

男：先輩、明日の会議で使う資料を修正したので確認してください。

女：いいですよ。あっ、この表現はちょっとわかりにくいですから、もっとわかりやすくするように言いましたよね。直っていませんよ。

男：えっ、すみません。すぐに直します。あの、ここのグラフは小さすぎるでしょうか。もっと大きくすることもできますが。

女：それはそのままでいいですよ。プロジェクターでも映しますから。それよりこの文字の色は何ですか……。こんなに色があったら、かえって見にくいですよ。

男：あ、それは先日、先輩に見せた時に指摘されたところに印をつけただけで、配布用のほうには色はつけていません。

女：それならいいですけど。じゃあ、さっき言ったところを直したら、人数分コピーしてしまってください。

男：はい、わかりました。

男の人はこのあとまず何をしますか。

例題2　スクリプト　N1-2

悲しい理由がポイントなので、「悲しい」に注意して聞く。

家で、男の人と女の人が話しています。女の人は、どうして悲しくなりましたか。

男：なんか元気ないけど、あれ、その足どうしたの？

女：今朝、電車で思いっきり足を踏まれちゃって。それで病院に行ってきたんだ。でも、大したことないから……。

男：それならいいけど……。

女：実はね、今日帰りに電車を降りる時、線路に靴を落としちゃったの。みんなに笑われているような気になっちゃって本当に恥ずかしかった。みんな気が付いているのに誰も助けてくれなくて、悲しかったな……。今、そのこと思い出しちゃって。

いろいろな感情が出てくるが、この部分が聞くべきポイント。

男：それは大変だったね。で、どうしたの？

女：しばらくしてから駅員さんが来て靴を拾ってくれた。忙しい時間だったのに、親切に対応してくれたんだ。本当に助かったよ。

女の人は、どうして悲しくなりましたか。

例題3　スクリプト　N1-3

テレビの情報番組でレポーターが話しています。

男：今日は桜町に新しくオープンしたレストランに来ています。こちらのレストランはシェフ自らが農家に出向き、無農薬の野菜を仕入れています。旬の食材をふんだんに使用した料理はとても人気があり連日行列ができるほどです。驚いたことに、このレストラン、メニューがないんです。どういうことかと申しますと、お客様が食材を見て、食べたい料理を決めて注文するんです。先ほど、こちらのお店をよく利用されるというお客様にお話を伺ったところ、毎回違う料理が食べられるので飽きることがないと満足そうに話してくださいました。他のレストランとの差別化をはかったということですが、シェフの腕がなければ、できないことですよね。シェフのこだわりが詰まったこちらのレストラン、ぜひ皆様もいらっしゃってください。

下線部をまとめると、「レストランの特徴」になる。

レポーターは何について伝えていますか。

1　レストランの特徴
2　レストランが有名になったきっかけ
3　シェフの得意料理
4　レストランによく来る客の特徴

例題4　スクリプト

1番　N1-4　男：やっぱりリーダーは、彼をおいてほかにいないよ。

「〜が最も適当だ／〜が一番いい」という意味。

女：1　そうなんだ。彼に置いていかれちゃってさ。
　　2　そうだね。私も彼がふさわしいと思うよ。
　　3　そうだよ。さっきまでそこにいたけど今はいないよ。

2番　N1-5　女：すみませんが、課長からもこの企画を推薦していただけませんか。

男：1　いいですよ。あとで修正しておきます。
　　2　おかげさまで、先ほど推薦していただけました。
　　3　じゃ、まず内容を確認しておくよ。

女の人は男の人に依頼している。この後、男の人は推薦に向けた行動を取る。

3番　N1-6　男：彼がそう簡単に引き下がるとは思えないよ。

女：1　今回こそは、納得してくれるんじゃない？
　　2　彼なら、そのくらい安くしてくれるんじゃない？
　　3　さすがの彼にも届かないんじゃない？

「自分の主張を取り下げる」という意味。

例題5　スクリプト　N1-7

会議で、上司と社員2人が話しています。

男1：そろそろうちのホテルでも宿泊プランの見直しが必要だと思うんだけど、どう思う？

女　：そうですね、新規のお客様を獲得するにも、何かお得感のあるプランが必要かと思います。地方からの宿泊客だけではなく、近くに住んでいる人にももっと気軽に利用していただけるような……。例えば、地元割り引きのようなプランがあってもいいかと思います。

男2：確かに、近所に住む方にも利用していただいて親しみやすい存在にはなりたいですが、気軽にというのはどうでしょうか。ホテルを利用されるお客様は、非日常的な空間を求めていらっしゃる方も多いと思うんです。私はホテルならではのサービスや企画で勝負したいです。

女　：それはそうですね。ではお子様向けにホテルスタッフ体験付きプランなんてどうでしょうか。他のお客様の迷惑にならないように私たちスタッフがお客様の役をしてもいいかと。

男1：なかなか面白そうだね。

男2：他にも、何かイベントをつけるのはどうでしょう。例えば、料理教室とか。料理長に家庭でできるホテルの味を教えてもらって、食事をするなんていいと思いませんか。

男1：インパクトがあるアイディアだとは思うけど、誰でも調理場に入れるっていうのは衛生面でちょっと問題があるんじゃないかな。

女　：そうですね。ではお子様が興味を示してくれるように、先ほどの体験プランにお子様用の制服をつけるというのはどうでしょうか。

男1：そうだな、記念にもなっていいんじゃないか。お子様が興味を持ってくれたら家族単位での宿泊につながるし。じゃ、それで新しいプランを考えて月末までに企画書を出すように。

上司はどんな宿泊プランの企画書を出すように言いましたか。

1　地元割り引き宿泊プラン
2　ホテルスタッフ体験付き宿泊プラン
3　料理長の料理教室付き宿泊プラン
4　家族と過ごす宿泊プラン

例題6　スクリプト　N1-8

ラジオで女の人が話しています。

女1：今日は、最近話題の少し変わった習い事をご紹介します。最初は**和太鼓**です。和太鼓と聞くと、日本の伝統芸能というイメージを持つ方も多いと思いますが、実は、体全体を動かして太鼓を叩くことから、ストレス解消やダイエットになると、最近では女性からの人気もあるそうです。次に紹介するのは**竹細工**です。竹を編んで籠やザルなどを作ります。指先を使うことで脳への刺激になることから年配の方に人気があるそうです。３つ目は**ボルダリング**です。簡単にいうと壁を登るスポーツです。指や腕の力、脚力が必要かと思われがちですが、実は先を読む力が重要なのでとても頭を使うスポーツなんです。そして最後にご紹介するのは**ペイント**です。家の壁はもちろん、家具や家電を自分の好きな色に塗り替えたいという方が、ペンキの塗り方や安全な取り扱い方法を学びます。このように最近は少し変わった習い事がはやっているようです。皆さんも何か習い事を始めてはいかがでしょうか。

男　：へぇ、最近は随分変わった習い事があるんだね。ちょっとやってみたくなったな。

女2：そうだね、私は最近運動不足だから何か体を動かすのがいいかな。

○和太鼓
○ボルダリング

男　：どうせなら体だけじゃなく、頭も一緒に鍛えられるのにしたら？

○ボルダリング

女2：それ、一度やったことがあるんだけど、指先を使うから爪をかなり短く切らなきゃならないんだよ。それがちょっとね。あなたは昔から器用だし、ものづくりがいいんじゃないの？最近、物忘れも増えたじゃない。

×ボルダリング

男　：脳への刺激があるのはいいけど、最近家で過ごすことが増えたから、インテリアを変えたいって思っていたんだよね。でも形は気に入ってるし、買い換えるほど古くもないし、どうしようかなって。色が変わればだいぶ印象が変わるよね。

○ペイント

女2：好きな色に囲まれて生活するのも楽しそうだね。

男　：だろう？さっそく申し込んでみるよ。一緒にやる？

女2：興味はあるけど、やっぱり体を動かしたいな。私は思いっきり汗を流してストレスを発散したいから他のにする。

○和太鼓

質問1　男の人はどの習い事に申し込みますか。

質問2　女の人はどの習い事に申し込みますか。

例題の答え	例題1　1	例題2　3	例題3　1	例題4　2, 3, 1	例題5　2	例題6　4, 1

第9週　1日目

月　　日

課題理解　Task-based comprehension

まず質問を聞いてください。それから話を聞いて、問題用紙の1から4の中から、最もよいものを一つ選んでください。

1　N1-9

1　エアコンの電源を切りプラグを抜く
2　水が出ている様子を撮影しながら修理の人を待つ
3　状況がわかる映像を撮って修理の人に送る
4　修理の人から修理日の連絡を待つ

2　N1-10

1　就職面接会に参加する会社を調べる
2　就職面接会のキャンセル待ちにエントリーする
3　証明写真を撮るためにネクタイを買いに行く
4　日本語を先生に確認してもらう

3　N1-11

1　運転免許証を提出する
2　健康診断と体力測定を受ける
3　再入会申し込み用紙に記入する
4　呼ばれるまでロビーで待つ

4　N1-12

1　レジのおつりの確認をする
2　景品の在庫を確認する
3　調理を開始する
4　棚に商品を並べる

5　N1-13

1　部長の挨拶の順番を調整する
2　書類を配布するタイミングを考え直す
3　社員が発言しやすくなるように工夫する
4　部長と社員が意見を交換する機会を設ける

6　N1-14

1　今まで以上に厳しい態度をとる
2　もっと学生の話に耳を傾ける
3　家族のように学生に寄りそう
4　どの学生も平等に扱う

ポイント理解 Point comprehension

まず質問を聞いてください。そのあと、問題用紙の選択肢を読んでください。読む時間があります。それから話を聞いて、問題用紙の1から4の中から、最も よいものを一つ選んでください。

1 N1-15

1 部長が途中でいなくなってしまったこと
2 資料に間違いがあったこと
3 うまく伝えることができなかったこと
4 声が小さく緊張した表情になってしまったこと

2 N1-16

1 脳の発達に効果的なもの
2 親子で習うことができるもの
3 幅広く学べるもの
4 子どもが興味を示したもの

3 N1-17

1 旅行会社に就職できなかったから
2 人の役に立ちたいと思ったから
3 貿易の仕事がしたかったから
4 かっこいい仕事がしたかったから

4 N1-18

1 デザイン性の高い家具を作ること
2 安全性の高い家具を作ること
3 質がよく手頃な値段の家具を作ること
4 顧客が満足できる家具を作ること

5 N1-19

1 犬を飼いたいから
2 息子の健康が心配だから
3 実家の両親が心配だから
4 両親が海の近くに住みたいと言ったから

6 N1-20

1 環境を守ること
2 住む人の快適さ
3 街との調和
4 家を建てる場所

7 N1-21

1 近所付き合いをしっかりすること
2 生活のリズムを近所に合わせること
3 馬鹿騒ぎをしないようにすること
4 生活音を出さないように意識すること

第9週　2日目

月　　日

課題理解 Task-based comprehension

まず質問を聞いてください。それから話を聞いて、問題用紙の1から4の中から、最もよいものを一つ選んでください。

1 N1-22
1 マスクを着用する
2 更衣室で着替える
3 血液検査を受ける
4 問診票を埋める

2 N1-23
1 お湯の不具合を見に客室に行く
2 レストランに変更の連絡を入れる
3 ルームサービスを取り消す
4 充電器を持って客室に行く

3 N1-24
1 受験料を払う
2 志願票を書き直す
3 新しい写真を撮る
4 成績・出席率証明書を取りに行く

4 N1-25
1 手を洗い、うがいをしてから、おやつを食べる
2 宿題をしてから、部屋を片付ける
3 おやつを食べてから、宿題をする
4 晩ご飯を食べてから、宿題をする

5 N1-26
1 新商品の試食会の準備を進める
2 掲示板の本社社長視察の予定表に変更を加える
3 各部長に会議室の利用時間について連絡する
4 レストランに予約時間の変更を依頼する

6 N1-27
1 宿題の未提出者にトイレ掃除をさせる
2 リーダーを決めて責任を持たせる
3 宿題を提出したことをほめる
4 学生を比較することで学生の競争心をあおる

ポイント理解 Point comprehension

まず質問を聞いてください。そのあと、問題用紙の選択肢を読んでください。読む時間があります。それから話を聞いて、問題用紙の1から4の中から、最もよいものを一つ選んでください。

1 N1-28
1 コーヒーが大好きだったこと
2 母親の話を聞いたこと
3 古民家で懐かしい気持ちになったこと
4 世代の違う人たちと囲炉裏を囲んだこと

2 N1-29
1 多くの日本語学校で使われているから
2 外国人用で、説明がとても丁寧だから
3 漢字の練習も語彙の勉強もできるから
4 漢字のレベルを少しずつ上げられるから

3 N1-30
1 朝起きてからの２時間
2 朝食の１時間後から
3 夕食前の２時間
4 夕食後の２時間

4 N1-31
1 テニスウェアをもらったお礼
2 息子の相談相手になってもらっているお礼
3 息子がしっかりしてきたことへのお礼
4 今度テニスボールをもらうお礼

5 N1-32
1 声の調子
2 姿勢
3 普段の行動
4 身だしなみ

6 N1-33
1 雨が降ったりやんだりをくり返す
2 曇りがちだが、気温は上がる
3 おおむね晴れるが、午後ににわか雨が降る
4 曇っていて、朝から晩まで涼しい

7 N1-34
1 臨場感があふれる作品だったこと
2 事実に基づいて作られた映画だったこと
3 主人公の俳優の演技がすばらしかったこと
4 ラストシーンが非常に感動的だったこと

第9週 3日目

月　　日

課題理解 Task-based comprehension

まず質問を聞いてください。それから話を聞いて、問題用紙の1から4の中から、最も良いものを一つ選んでください。

1 N1-35
1 申請書に記入する
2 ダンス部の顧問の先生の承認を得る
3 数学研究部の部長に確認する
4 先生に申請書を提出する

2 N1-36
1 上司にメールを送る
2 名簿を作成する
3 企画会議の準備をする
4 新規事業について勉強する

3 N1-37
1 レンタカーを手配する
2 ホテル探しをする
3 新幹線を予約する
4 新幹線の予約をキャンセルする

4 N1-38
1 雑誌コーナーを整理する
2 商品の取り換えを依頼する
3 本の汚れを確認する
4 新しいアルバイトの人の対応をする

5 N1-39
1 インタビュー調査をする
2 統計調査をする
3 先行研究を読む
4 研究動機を明確にする

6 N1-40
1 食事の量を減らす
2 定期的に運動をする
3 栄養の専門家に相談する
4 薬を服用する

ポイント理解 Point comprehension

まず質問を聞いてください。そのあと、問題用紙の選択肢を読んでください。読む時間があります。それから話を聞いて、問題用紙の1から4の中から、最もよいものを一つ選んでください。

1 N1-41

1 充電式ではないから
2 他の人の家を掃除したから
3 運ぶのが大変そうだから
4 性能がよくなさそうだから

2 N1-42

1 町の人同士がつながれること
2 町の景観がさらによくなること
3 町の人がもっと読書をするようになること
4 町の人のモラルが一層向上すること

3 N1-43

1 使い心地のいい家具があること
2 近所の人々とのよい関係
3 静かな環境
4 庭やバルコニーがあること

4 N1-44

1 テニスの試合
2 パソコンのキーボードを打ったこと
3 重い荷物を持ったこと
4 スマホの使い過ぎ

5 N1-45

1 完璧主義なところ
2 仕事に打ち込むところ
3 体力を維持できるところ
4 根気よく何かを続けるところ

6 N1-46

1 話が斬新だから
2 映像の質がいいから
3 実力派の声優が揃っているから
4 主題歌が話に合っているから

7 N1-47

1 子どもたちに家族以外の大人と触れ合わせること
2 子どもたちに自然に関する知識を付けさせること
3 子どもたちに命の大切さを学ばせること
4 子どもたちに社会問題への意識を持たせること

____月____日

課題理解 Task-based comprehension

まず質問を聞いてください。それから話を聞いて、問題用紙の1から4の中から、最もよいものを一つ選んでください。

1 N1-48
1 みんなに一言挨拶をする
2 契約書に記入する
3 来月のシフトの希望を出す
4 制服を受け取りに行く

2 N1-49
1 総務部にコピー機の修理を依頼する
2 倉庫にある古いコピー機を運ぶ
3 コピー機に故障を知らせる紙を貼る
4 石井さんにコピー機の故障を伝える

3 N1-50
1 駅までの道のりや、スーパーがあるか確認する
2 不動産屋に部屋の見学依頼をする
3 ガス会社と電気会社に電話する
4 引っ越しサービスの仮予約をする

4 N1-51
1 家に戻って保証書を探す
2 視力検査をする
3 アンケートに記入する
4 壊れた眼鏡を持ってくる

5 N1-52
1 報告レポートを読む
2 英語のテストの結果を提出する
3 先生から推薦状をもらう
4 パスポートの有効期限を確認する

6 N1-53
1 データを最新のものに差し替える
2 プレゼン用の資料に説明書きを加える
3 他社が出している商品の名前を調べる
4 アンケートの内容を決める

ポイント理解 Point comprehension

まず質問を聞いてください。そのあと、問題用紙の選択肢を読んでください。読む時間があります。それから話を聞いて、問題用紙の1から4の中から、最もよいものを一つ選んでください。

1 N1-54
1 娘に何度もせがまれるから
2 考えさせられることが多いから
3 きれいごとばかりが書いてあるから
4 仕事が忙しくて、時間がないから

2 N1-55
1 幼少期からの興味
2 両親の勧め
3 恋人との結婚
4 死に直面した経験

3 N1-56
1 経験不足で自信が持てないとき
2 相談相手が見つからないとき
3 全貌がわからないとき
4 周囲からのプレッシャーを感じるとき

4 N1-57
1 国の指針で決まっているため
2 論理的に考える力を養うため
3 将来仕事で数学を使う可能性があるため
4 忍耐力を付けるため

5 N1-58
1 コーヒー1杯で何時間も居座る客がいたから
2 客にどなられたから
3 店長が何もしてくれなかったから
4 店長に冷たい返事をされたから

6 N1-59
1 社員同士が互いに競い合い、成長していける会社
2 成果主義をとりつつ、福利厚生、社会保障が充実した会社
3 男性も育休が取れ、長く働き続けられる会社
4 上下関係にとらわれず、自由に意見を言い合える会社

7 N1-60
1 幼児教育について
2 生涯教育について
3 いい先生の定義について
4 教員採用試験について

第9週 5日目

月　日

課題理解 Task-based comprehension

まず質問を聞いてください。それから話を聞いて、問題用紙の1から4の中から、最も良いものを一つ選んでください。

1 N1-61
1 段ボールを片付ける
2 野菜売り場の準備を手伝う
3 値段表を修正する
4 お客様の対応をする

2 N1-62
1 説明会に申し込む
2 説明会でする質問を準備する
3 別の大学と比較する
4 志望理由を考える

3 N1-63
1 支店に電話をする
2 支店にサンプルを取りに行く
3 倉庫のサンプルを出しに行く
4 会場にサンプルを届ける

4 N1-64
1 会場のいすの配置を確認する
2 進行表をいすの上に置いていく
3 コンテスト参加者の控え室の鍵を開ける
4 撮影機材を運搬する

5 N1-65
1 母親の様子を観察する
2 母親の生活環境を整える
3 心療内科に母親を連れていく
4 母親に認知症検査を受けさせる

6 N1-66
1 交際費の一人当たりの上限を設ける
2 日用品やコピーなどの無駄遣いをしないことを徹底させる
3 セミナーへの参加費用は自己負担になることを知らせる
4 契約を見直して通信費を安く抑えるように注意する

ポイント理解 Point comprehension

まず質問を聞いてください。そのあと、問題用紙の選択肢を読んでください。読む時間があります。それから話を聞いて、問題用紙の1から4の中から、最もよいものを一つ選んでください。

1 N1-67
1 組織論
2 知的財産権
3 経営戦略
4 サービスマネージメント

2 N1-68
1 不満の表れ
2 達成感の裏返し
3 怠慢の結果
4 安定の証拠

3 N1-69
1 子どもが読むのを聞く
2 親が声に出して読む
3 無理に読ませない
4 親がいいと思う本を置いておく

4 N1-70
1 仕事の効率が悪いところ
2 指示通りにしか動けないところ
3 上昇志向がないところ
4 仕事を抱え込みやすいところ

5 N1-71
1 部屋が真っ暗になるから
2 虫が紫外線を感知するようになるから
3 紫外線が遮られるから
4 蛍光灯は紫外線を発していないから

6 N1-72
1 脳が笑顔を報酬として認識するため
2 笑顔からは敵意が感じられないため
3 笑顔になると難しいことを考えなくなるため
4 笑顔を見ると照れてしまう人が多いため

7 N1-73
1 跡継ぎがいないため
2 客が減ってしまったため
3 同じ場所で続けられないため
4 地域住民の理解が得られないため

第10週 1日目

概要理解 Summary comprehension

問題用紙に何も印刷されていません。この問題は、全体としてどんな内容かを聞く問題です。話の前に質問はありません。まず話を聞いてください。それから、質問と選択肢を聞いて、1から4の中から、最もよいものを一つ選んでください。

1 N1-74 1 2 3 4

2 N1-75 1 2 3 4

3 N1-76 1 2 3 4

4 N1-77 1 2 3 4

5 N1-78 1 2 3 4

6 N1-79 1 2 3 4

第10週 2日目

＿＿月＿＿日

概要理解 Summary comprehension

問題用紙に何も印刷されていません。この問題は、全体としてどんな内容かを聞く問題です。話の前に質問はありません。まず話を聞いてください。それから、質問と選択肢を聞いて、1から4の中から、最もよいものを一つ選んでください。

1 N1-80　1　2　3　4

2 N1-81　1　2　3　4

3 N1-82　1　2　3　4

4 N1-83　1　2　3　4

5 N1-84　1　2　3　4

6 N1-85　1　2　3　4

第10週 3日目

月　日

概要理解 Summary comprehension

問題用紙に何も印刷されていません。この問題は、全体としてどんな内容かを聞く問題です。話の前に質問はありません。まず話を聞いてください。それから、質問と選択肢を聞いて、1から4の中から、最もよいものを一つ選んでください。

1 N1-86 1 2 3 4

2 N1-87 1 2 3 4

3 N1-88 1 2 3 4

4 N1-89 1 2 3 4

5 N1-90 1 2 3 4

6 N1-91 1 2 3 4

第10週　4日目

月　　日

概要理解 Summary comprehension

問題用紙に何も印刷されていません。この問題は、全体としてどんな内容かを聞く問題です。話の前に質問はありません。まず話を聞いてください。それから、質問と選択肢を聞いて、1から4の中から、最もよいものを一つ選んでください。

1　N1-92　1　2　3　4

2　N1-93　1　2　3　4

3　N1-94　1　2　3　4

4　N1-95　1　2　3　4

5　N1-96　1　2　3　4

6　N1-97　1　2　3　4

第10週 5日目

概要理解 Summary comprehension

問題用紙に何も印刷されていません。この問題は、全体としてどんな内容かを聞く問題です。話の前に質問はありません。まず話を聞いてください。それから、質問と選択肢を聞いて、1から4の中から、最もよいものを一つ選んでください。

1 N1-98 1 2 3 4

2 N1-99 1 2 3 4

3 N1-100 1 2 3 4

4 N1-101 1 2 3 4

5 N1-102 1 2 3 4

6 N1-103 1 2 3 4

第11週 1日目

＿＿月＿＿日

即時応答 Quick response

問題用紙に何も印刷されていません。まず文を聞いてください。それから、それに対する返事を聞いて、1から3の中から、最もよいものを一つ選んでください。

1	N1-104	1	2	3
2	N1-105	1	2	3
3	N1-106	1	2	3
4	N1-107	1	2	3
5	N1-108	1	2	3
6	N1-109	1	2	3
7	N1-110	1	2	3
8	N1-111	1	2	3
9	N1-112	1	2	3
10	N1-113	1	2	3
11	N1-114	1	2	3
12	N1-115	1	2	3
13	N1-116	1	2	3
14	N1-117	1	2	3

第11週 2日目

月　日

即時応答 Quick response

問題用紙に何も印刷されていません。まず文を聞いてください。それから、それに対する返事を聞いて、1から3の中から、最もよいものを一つ選んでください。

1 N1-118 1 2 3

2 N1-119 1 2 3

3 N1-120 1 2 3

4 N1-121 1 2 3

5 N1-122 1 2 3

6 N1-123 1 2 3

7 N1-124 1 2 3

8 N1-125 1 2 3

9 N1-126 1 2 3

10 N1-127 1 2 3

11 N1-128 1 2 3

12 N1-129 1 2 3

13 N1-130 1 2 3

14 N1-131 1 2 3

第11週 3日目

月　　日

即時応答 Quick response

問題用紙に何も印刷されていません。まず文を聞いてください。それから、それに対する返事を聞いて、1から3の中から、最もよいものを一つ選んでください。

1 N1-132 1 2 3

2 N1-133 1 2 3

3 N1-134 1 2 3

4 N1-135 1 2 3

5 N1-136 1 2 3

6 N1-137 1 2 3

7 N1-138 1 2 3

8 N1-139 1 2 3

9 N1-140 1 2 3

10 N1-141 1 2 3

11 N1-142 1 2 3

12 N1-143 1 2 3

13 N1-144 1 2 3

14 N1-145 1 2 3

第11週 4日目

＿＿＿月＿＿＿日

即時応答 Quick response

問題用紙に何も印刷されていません。まず文を聞いてください。それから、それに対する返事を聞いて、1から3の中から、最もよいものを一つ選んでください。

1 N1-146 1 2 3

2 N1-147 1 2 3

3 N1-148 1 2 3

4 N1-149 1 2 3

5 N1-150 1 2 3

6 N1-151 1 2 3

7 N1-152 1 2 3

8 N1-153 1 2 3

9 N1-154 1 2 3

10 N1-155 1 2 3

11 N1-156 1 2 3

12 N1-157 1 2 3

13 N1-158 1 2 3

14 N1-159 1 2 3

第11週 5日目

_____月_____日

即時応答 Quick response

問題用紙に何も印刷されていません。まず文を聞いてください。それから、それに対する返事を聞いて、1から3の中から、最も良いものを一つ選んでください。

1 N1-160 1 2 3

2 N1-161 1 2 3

3 N1-162 1 2 3

4 N1-163 1 2 3

5 N1-164 1 2 3

6 N1-165 1 2 3

7 N1-166 1 2 3

8 N1-167 1 2 3

9 N1-168 1 2 3

10 N1-169 1 2 3

11 N1-170 1 2 3

12 N1-171 1 2 3

13 N1-172 1 2 3

14 N1-173 1 2 3

第12週　1日目

＿＿月＿＿日

統合理解 Integrated comprehension

問題用紙に何も印刷されていません。まず話を聞いてください。それから、質問と選択肢を聞いて、1から4の中から、最もよいものを一つ選んでください。

1　N1-174　1　2　3　4

2　N1-175　1　2　3　4

まず話を聞いてください。それから、二つの質問を聞いて、それぞれ問題用紙の1から4の中から、最もよいものを一つ選んでください。

3　N1-176

質問1

1 寄木公園
2 城田公園
3 山上公園
4 光の丘公園

質問2

1 寄木公園
2 城田公園
3 山上公園
4 光の丘公園

第12週 2日目

月　日

統合理解 Integrated comprehension

問題用紙に何も印刷されていません。まず話を聞いてください。それから、質問と選択肢を聞いて、1から4の中から、最も良いものを一つ選んでください。

1 N1-177　1　2　3　4

2 N1-178　1　2　3　4

まず話を聞いてください。それから、二つの質問を聞いて、それぞれ問題用紙の1から4の中から、最もよいものを一つ選んでください。

3 N1-179

質問1

1 末端冷え性タイプ
2 内臓冷え性タイプ
3 ほてり冷え性タイプ
4 全身冷え性タイプ

質問2

1 末端冷え性タイプ
2 内臓冷え性タイプ
3 ほてり冷え性タイプ
4 全身冷え性タイプ

第12週 3日目

月　日

統合理解 Integrated comprehension

問題用紙に何も印刷されていません。まず話を聞いてください。それから、質問と選択肢を聞いて、1から4の中から、最も良いものを一つ選んでください。

1 N1-180 1 2 3 4

2 N1-181 1 2 3 4

まず話を聞いてください。それから、二つの質問を聞いて、それぞれ問題用紙の1から4の中から、最もよいものを一つ選んでください。

3 N1-182

質問1

1 あかね書店
2 北川出版
3 さくらパブリッシング
4 かえで書房

質問2

1 あかね書店
2 北川出版
3 さくらパブリッシング
4 かえで書房

第12週 4日目

月　　日

統合理解 Integrated comprehension

問題用紙に何も印刷されていません。まず話を聞いてください。それから、質問と選択肢を聞いて、1から4の中から、最もよいものを一つ選んでください。

1 N1-183 1 2 3 4

2 N1-184 1 2 3 4

まず話を聞いてください。それから、二つの質問を聞いて、それぞれ問題用紙の1から4の中から、最もよいものを一つ選んでください。

3 N1-185

質問1

1 スタディツアー
2 海外インターンシップ
3 交換留学
4 自由留学

質問2

1 スタディツアー
2 海外インターンシップ
3 交換留学
4 自由留学

第12週　5日目

月　　日

統合理解　Integrated comprehension

問題用紙に何も印刷されていません。まず話を聞いてください。それから、質問と選択肢を聞いて、1から4の中から、最も よいものを一つ選んでください。

1　N1-186　1　2　3　4

2　N1-187　1　2　3　4

まず話を聞いてください。それから、二つの質問を聞いて、それぞれ問題用紙の1から4の中から、最もよいものを一つ選んでください。

3　N1-188

質問1

1　石田タイプ
2　松本タイプ
3　町田タイプ
4　北野タイプ

質問2

1　石田タイプ
2　松本タイプ
3　町田タイプ
4　北野タイプ

全科目攻略!

日本語能力試験ベスト総合問題集

Succeed in all sections!

The Best Complete Workbook for the Japanese-Language Proficiency Test

別冊

解答一覧 ● Answers

第1週 1日目

漢字読み Kanji reading (p.16)

1	2	3	4	5	6
2	4	1	2	4	3

文脈規定 Contextually-defined expressions (p.17)

1	2	3	4	5	6	7
4	2	1	2	3	1	4

第1週 2日目

漢字読み Kanji reading (p.18)

1	2	3	4	5	6
1	3	4	1	2	2

文脈規定 Contextually-defined expressions (p.19)

1	2	3	4	5	6	7
2	4	1	1	3	2	3

第1週 3日目

漢字読み Kanji reading (p.20)

1	2	3	4	5	6
2	1	2	3	1	4

文脈規定 Contextually-defined expressions (p.21)

1	2	3	4	5	6	7
4	1	3	1	2	4	2

第1週 4日目

漢字読み Kanji reading (p.22)

1	2	3	4	5	6
3	1	4	2	1	3

文脈規定 Contextually-defined expressions (p.23)

1	2	3	4	5	6	7
1	4	3	1	3	4	2

第1週 5日目

漢字読み Kanji reading (p.24)

1	2	3	4	5	6
4	1	4	1	3	2

文脈規定 Contextually-defined expressions (p.25)

1	2	3	4	5	6	7
3	2	2	2	4	1	4

第2週 1日目

言い換え類義 Paraphrases (p.26)

1	2	3	4	5	6
1	3	2	2	4	3

用法 Usage (pp.26-27)

1	2	3	4	5	6
4	2	4	1	3	1

第2週 2日目

言い換え類義 Paraphrases (p.28)

1	2	3	4	5	6
2	2	1	3	1	3

用法 Usage (pp.28-29)

1	2	3	4	5	6
1	4	2	1	3	4

第2週 3日目

言い換え類義 Paraphrases (p.30)

1	2	3	4	5	6
4	2	4	1	4	3

用法 Usage (pp.30-31)

1	2	3	4	5	6
4	2	1	2	4	3

第2週 4日目

言い換え類義 Paraphrases (p.32)

1	2	3	4	5	6
4	1	2	4	2	1

用法 Usage (pp.32-33)

1	2	3	4	5	6
2	4	2	3	4	1

第2週 5日目

言い換え類義 Paraphrases (p.34)

1	2	3	4	5	6
1	3	4	4	2	1

用法 Usage (pp.34-35)

1	2	3	4	5	6
1	2	1	4	3	1

第3週 1日目

文法形式の判断 Selecting grammar form (pp.36-37)

1	2	3	4	5	6	7	8	9	10
2	1	2	4	4	2	2	1	3	4

文の組み立て Sentence composition (p.37)

1	2	3	4	5
4	1	1	2	4

第3週 2日目

文法形式の判断 Selecting grammar form (pp.38-39)

1	2	3	4	5	6	7	8	9	10
2	3	1	3	4	3	1	2	4	2

文の組み立て Sentence composition (p.39)

1	2	3	4	5
1	3	1	3	3

第3週　3日目

文法形式の判断 Selecting grammar form (pp.40-41)

1 2　2 1　3 3　4 1　5 2
6 4　7 4　8 1　9 3　10 1

文の組み立て Sentence composition (p.41)

1 3　2 1　3 2　4 4　5 3

第3週　4日目

文法形式の判断 Selecting grammar form (pp.42-43)

1 1　2 3　3 3　4 2　5 3
6 2　7 3　8 4　9 2　10 1

文の組み立て Sentence composition (p.43)

1 1　2 3　3 4　4 1　5 3

第3週　5日目

文法形式の判断 Selecting grammar form (pp.44-45)

1 4　2 2　3 2　4 1　5 4
6 3　7 4　8 3　9 1　10 1

文の組み立て Sentence composition (p.45)

1 4　2 3　3 1　4 2　5 1

第4週　1日目

文章の文法 Text grammar (pp.46-47)

1 2　2 4　3 3　4 2　5 1

第4週　2日目

文章の文法 Text grammar (pp.48-49)

1 1　2 3　3 4　4 2　5 4

第4週　3日目

文章の文法 Text grammar (pp.50-51)

1 2　2 4　3 2　4 1　5 3

第4週　4日目

文章の文法 Text grammar (pp.52-53)

1 2　2 1　3 3　4 4　5 2

第4週　5日目

文章の文法 Text grammar (pp.54-55)

1 4　2 2　3 1　4 3　5 2

第5週　1日目

内容理解(短文)
Comprehension (Short passages) (pp.66-69)

(1) 1 3　(2) 1 2　(3) 1 4　(4) 1 2

第5週　2日目

内容理解(短文)
Comprehension (Short passages) (pp.70-73)

(1) 1 1　(2) 1 3　(3) 1 1　(4) 1 1

第5週　3日目

内容理解(短文)
Comprehension (Short passages) (pp.74-77)

(1) 1 4　(2) 1 2　(3) 1 2　(4) 1 3

第5週　4日目

内容理解(短文)
Comprehension (Short passages) (pp.78-81)

(1) 1 2　(2) 1 1　(3) 1 2　(4) 1 3

第5週　5日目

内容理解(短文)
Comprehension (Short passages) (pp.82-85)

(1) 1 3　(2) 1 3　(3) 1 4　(4) 1 1

第6週　1日目

内容理解(中文)
Comprehension (Mid-size passages) (pp.86-91)

(1) 1 1　2 3　3 4
(2) 1 1　2 2　3 3
(3) 1 4　2 1　3 3

第6週　2日目

内容理解(中文)
Comprehension (Mid-size passages) (pp.92-97)

(1) 1 2　2 2　3 1
(2) 1 4　2 3　3 4
(3) 1 4　2 3　3 1

第6週　3日目

内容理解(中文)
Comprehension (Mid-size passages) (pp.98-103)

(1) 1 4　2 2　3 3
(2) 1 2　2 3　3 2
(3) 1 3　2 2　3 4

第6週　4日目

内容理解(中文)
Comprehension (Mid-size passages) (pp.104-109)

(1) 1 2　2 2　3 3
(2) 1 4　2 2　3 1
(3) 1 3　2 1　3 2

第6週　5日目

内容理解(中文)
Comprehension (Mid-size passages) (pp.110-115)

(1) 1 4　2 1　3 3
(2) 1 1　2 3　3 2
(3) 1 2　2 4　3 1

第7週　1日目

内容理解(長文)
Comprehension (Long passages) (pp.116-117)

1 4　2 1　3 3　4 2

統合理解 Integrated comprehension (pp.118-119)

1 4　2 4

第7週　2日目

内容理解(長文)
Comprehension (Long passages) (pp.120-121)

1 2　2 3　3 4　4 1

統合理解 Integrated comprehension (pp.122-123)

1 3　2 2

第7週　3日目

内容理解(長文)
Comprehension (Long passages) (pp.124-125)

1 2　2 2　3 3　4 1

統合理解 Integrated comprehension (pp.126-127)

1 2　2 4

第7週　4日目

内容理解(長文)
Comprehension (Long passages) (pp.128-129)

1 1　2 2　3 4　4 2

統合理解 Integrated comprehension (pp.130-131)

1 3　2 4

第7週　5日目

内容理解(長文)
Comprehension (Long passages) (pp.132-133)

1 1　2 3　3 2　4 4

統合理解 Integrated comprehension (pp.134-135)

1 2　2 3

第8週　1日目

主張理解(長文)
Thematic comprehension (Long passages) (pp.136-137)

1 3　2 3　3 1　4 2

情報検索 Information retrieval (pp.138-139)

1 4　2 1

第8週　2日目

主張理解(長文)
Thematic comprehension (Long passages) (pp.140-141)

1 2　2 1　3 3　4 4

情報検索 Information retrieval (pp.142-143)

1 3　2 4

第8週　3日目

主張理解(長文)
Thematic comprehension (Long passages) (pp.144-145)

1 3　2 4　3 4　4 1

情報検索 Information retrieval (pp.146-147)

1 4　2 2

第8週　4日目

主張理解(長文)
Thematic comprehension (Long passages) (pp.148-149)

1 3　2 2　3 3　4 4

情報検索 Information retrieval (pp.150-151)

1 2　2 1

第8週　5日目

主張理解(長文)
Thematic comprehension (Long passages) (pp.152-153)

1 1　2 2　3 4　4 3

情報検索 Information retrieval (pp.154-155)

1 3　2 3

第9週　1日目

課題理解 Task-based comprehension (p.168)

1 3　2 2　3 3　4 3　5 3　6 4

ポイント理解 Point comprehension (p.169)

1 1　2 4　3 2　4 2　5 3　6 3　7 1

第9週 2日目

課題理解 Task-based comprehension (p.170)

1	2	3	4	5	6
4	2	1	3	3	2

ポイント理解 Point comprehension (p.171)

1	2	3	4	5	6	7
2	3	3	1	3	2	3

第9週 3日目

課題理解 Task-based comprehension (p.172)

1	2	3	4	5	6
3	1	3	1	4	3

ポイント理解 Point comprehension (p.173)

1	2	3	4	5	6	7
2	3	2	3	4	2	3

第9週 4日目

課題理解 Task-based comprehension (p.174)

1	2	3	4	5	6
1	3	2	3	4	2

ポイント理解 Point comprehension (p.175)

1	2	3	4	5	6	7
3	4	3	2	3	2	3

第9週 5日目

課題理解 Task-based comprehension (p.176)

1	2	3	4	5	6
2	2	1	3	1	2

ポイント理解 Point comprehension (p.177)

1	2	3	4	5	6	7
2	4	2	4	3	1	3

第10週 1日目

概要理解 Summary comprehension (p.178)

1	2	3	4	5	6
4	3	4	3	3	2

第10週 2日目

概要理解 Summary comprehension (p.179)

1	2	3	4	5	6
3	4	1	4	1	4

第10週 3日目

概要理解 Summary comprehension (p.180)

1	2	3	4	5	6
1	1	4	2	2	4

第10週 4日目

概要理解 Summary comprehension (p.181)

1	2	3	4	5	6
1	4	2	3	2	3

第10週 5日目

概要理解 Summary comprehension (p.182)

1	2	3	4	5	6
2	2	2	4	3	1

第11週 1日目

即時応答 Quick response (p.183)

1	2	3	4	5	6	7	8	9	10	11	12	13	14
2	2	3	1	2	2	1	3	1	3	1	3	2	1

第11週 2日目

即時応答 Quick response (p.184)

1	2	3	4	5	6	7	8	9	10	11	12	13	14
3	1	2	1	2	1	3	2	3	1	2	1	1	2

第11週 3日目

即時応答 Quick response (p.185)

1	2	3	4	5	6	7	8	9	10	11	12	13	14
1	3	3	2	1	3	1	2	1	1	3	2	3	2

第11週 4日目

即時応答 Quick response (p.186)

1	2	3	4	5	6	7	8	9	10	11	12	13	14
2	1	3	1	3	1	2	3	2	3	1	3	1	2

第11週 5日目

即時応答 Quick response (p.187)

1	2	3	4	5	6	7	8	9	10	11	12	13	14
1	1	3	2	2	1	1	3	1	2	1	2	3	1

第12週 1日目

統合理解 Integrated comprehension (p.188)

1	2	3 質問1	3 質問2
1	2	1	4

第12週 2日目

統合理解 Integrated comprehension (p.189)

1	2	3 質問1	3 質問2
3	1	1	3

第12週 3日目

統合理解 Integrated comprehension (p.190)

1	2	3 質問1	3 質問2
2	3	1	3

第12週 4日目

統合理解 Integrated comprehension (p.191)

1	2	3 質問1	3 質問2
1	1	3	2

第12週 5日目

統合理解 Integrated comprehension (p.192)

1	2	3 質問1	3 質問2
1	3	2	4

聴解スクリプト ● Scripts

第9週　1日目

課題理解 Task-based comprehension　p.168

1　N1-9　答え　3

女の人とエアコン修理の人が電話で話しています。女の人はまず何をしますか。

女：すみません、エアコンをつけたら水が出てきて困っているんです……。

男：そうですか。どこから出ていますか。

女：風が出てくる場所からたくさん水滴が落ちてきて……。エアコン設置面の裏からも出ているようです。昨夜までは問題なかったんですが。

男：それは大変ですね。では、早急にご対応させていただきます。恐れ入りますが一度電源を切り、ご使用を控えていただけますか。

女：はい。

男：あっ、お伺いする前に現状を把握しておきたいので、ケータイのカメラで構いませんから写真か動画を撮って送っていただけると助かります。

女：はい、わかりました。

男：ありがとうございます。状況が確認でき次第、こちらから修理に伺う時間などをご連絡差し上げます。お暑いところ大変ご不便をおかけしますが、私どもが伺うまでは、念のためプラグも抜いておいてください。

女：はい、わかりました。

女の人はまず何をしますか。

2　N1-10　答え　2

日本語学校で女の先生と留学生が話しています。留学生はまず何をしますか。

女：クリスナさん、この合同就職面接会についてもう調べましたか。

男：はい、私が以前から興味がある金融関係の会社が多数参加するようです。

女：申し込みは済ませましたか。

男：それがもう定員になってしまっていて……。

女：就職したい会社が参加することがわかっているなら、すぐにウェブでキャンセル待ちに申し込みをしてください。先方からの連絡を待ちながら他の準備をすることもできるでしょう。

男：はい。

女：採用条件のチェックや書類関係も大丈夫ですか。

男：はい、条件は満たしています。履歴書の記入は終わって、あとは写真を貼るだけです。

女：そうですか。でもクリスナさん、確かネクタイを持っていなかったですよね？ ちゃんと用意してから写真を撮ってくださいよ。それと、日本語のチェックは済んでいるんですね。

男：実はまだで……。

女：何をのんきなことを言っているんですか。さっきの申し込みが終わったら、すぐ持ってきてくださいね。

男：はい先生。ありがとうございます。

留学生はまず何をしますか。

3　N1-11　答え　3

スポーツジムで男の人と係の人が話しています。男の人は最初に何をしますか。

男：すみません。年間コースに申し込みをしたいんですが。

女：はい。今回が新規のお申し込みでしょうか。

男：いえ。以前通っていたのですが、随分前に期限切れになってしまって……。

女：本日は期限切れのメンバーズカードか、何か身分を証明できるものをお持ちでしょうか。

男：前のメンバーズカードはもうありませんが、運転免許証なら持っています。

女：そうですか。それでは履歴をお調べしますので、免許証を拝見します。……そうですね、最後のご利用から1年以上間があいていますので、あちらで簡単な健康診断と体力測定を受けていただく必要があります。

男：そうですか。

女：この再入会申し込みの書類に必要事項をご記入の上、健康診断と体力測定をお受けください。結果が出るまでに少々お時間がかかりますので、終わりましたらロビーでお待ちください。結果が出次第お呼びいたします。その際、身分を証明するものが必要になりますのでご用意しておいてください。

男：はい、わかりました。

男の人は最初に何をしますか。

4 N1-12　答え　3

コンビニで男の店長と店員が話しています。店員はまず何をしますか。

男：タオさん、今夜はコンさんが休むことになったから今のうちに仕事を分担しておこうか。

女：はい。

男：発注は私がしておくから、タオさんはまずレジにお釣りが十分あるか確認して。

女：わかりました。

男：あっ、それから700円以上購入されたお客様対象のスピードくじの準備もよろしく頼むよ。

女：はい、でも先ほど田中さんがくじは作ったと言っていましたが……。

男：そうか、さすが田中さんだね。でも景品がちゃんとあるかどうかも確認してもらいたいんだよ。手が空いた時でいいから。トイレと店内の掃除もお客様が少ない時にやっておいてくれると助かるよ。

女：はい。

男：それとレジ横の食べ物、補充もお願いね。唐揚げは油で揚げるのに時間がかかるから、レジチェックの前によろしく。私は今から品出しするから早速頼むね。

女：はい、わかりました。

店員はまず何をしますか。

5 N1-13　答え　3

会社で男の人と女の人が話しています。男の人は会議の進行をどのように変えますか。

男：伊藤さん、来週の会議の進行を考えてみたんですが、ちょっとこの資料に目を通していただけませんか。

女：いいよ。新任の部長の挨拶の時間もしっかり取ってあるよね。

男：はい。最初に５分ほどご挨拶の時間を設けてあります。そのあとに前期の売上げ報告と来期の目標という流れにしてあります。

女：挨拶はやっぱりここしかないね……。うーん。流れは悪くないと思うけど、これだと受け身っていうか……。ただの報告会っていうか……。特に新入社員は意見なんて出せないんじゃないかな。もっと活発に意見が出るような何かが必要だね。チームごとに反省点や感想などをまとめさせたり、発表させたりしてみたらどう？

男：なるほど。確かにそうですね。

女：それにもっと具体的に図やグラフなどで達成率がわかるようにしたほうがいいよ。

男：はい。それはもう別紙でも配れるように用意してあります。来期の目標の部分はどうでしょうか。

女：そうだね。新しい部長からも何か提案があるかもしれないから、今はこのままでいいと思う。全体の流れはこのままでいいから、さっきのところだけしっかり直しておいて。あっ、それから当日は部長を会議室まで案内するのも忘れないようにね。

男：はい。わかりました。ありがとうございます。

男の人は会議の進行をどのように変えますか。

6 N1-14　答え　4

中学校で新人の女の先生とベテランの先生が話しています。女の先生はこれから学生に対してどのように接しますか。

女：井上先生、ご相談したいことがあるんですが、少々お時間を頂けませんか。

男：いいですよ。何かありましたか。

女：実は学生との距離感がいまいちわからず困っているんです。

男：そうですか。内田先生のように若い先生は、友達感覚で学生に話しかけられることも多いでしょう。また学生が慕ってくれているようで、先生自身も嬉しさのようなものを感じているのではないですか。時には厳しくすることも大事ですよ。

女：はい。友達のような関係ではいけないと思うので厳しくしているつもりなのですが、今以上に厳しくしたほうがいいのでしょうか。

男：単に厳しくすればいいということではありません。それよりまず信頼関係を作ることが大事です。まずは誰に対しても同じように対応をすることから始めてはいかがですか。

女：同じようにですか。

男：はい。よく話しかけてくる学生とはたくさん話して、そうではない学生とはあまり話さないようだと学生を平等に扱っているとは言えませんし、その辺は学生も敏感に感じ取るものですよ。私は小さなことの積み重ねが信頼関係につながるのだと思います。もちろん授業の質や、時には親のように学生に寄りそう姿勢も大事ですが。

女：はい、わかりました。公平にですね。忘れないようにしたいと思います。あとはもっと教師らしく学生を指導することですよね。

男：学生を指導することはもちろんですが、あまり「教師」ということを意識しすぎるのもどうかと思いますよ。きっと今の内田先生にしかできないこともあるはずですから、気を張りすぎないでくださいね。定期的に学生と面談をするのも効果的ですよ。

女：はい、それは１か月に１度のペースで行っています。先ほどご指摘いただいた点、意識してやってみます。ありがとうございました。

女の先生はこれから学生に対してどのように接しますか。

ポイント理解 Point comprehension p.169

1 N1-15 答え 1

会社で男の人と女の人が話しています。女の人は何が残念だったと言っていますか。

男：桜井さん、昨日のプレゼンはどうだった？

女：それが、なかなか思う通りにはいきませんでした……。

男：どうして？

女：部長が急な来客で席を外されてしまって、最後まで見ていただくことができなくて……本当に残念でした。それに事前に配布していた書類に初歩的なミスがあって、本当に恥ずかしくなってしまいました。

男：まぁ、初めてだから仕方がないよ。

女：すごく自信があったんです。でも、うまく伝えられなければそれまでですよね。

男：でも、いい経験になったんじゃないの。

女：はい、先輩方のプレゼンを見て、声の出し方や表情などでも印象が変わることがわかりました。それに、いつまでも落ち込んでいられません。やってみて初めてわかることもあって、本当にいい勉強になりました。次のプレゼンは絶対いいものにしてみせます。

女の人は何が残念だったと言っていますか。

2 N1-16 答え 4

ラジオで教育評論家が話しています。この教育評論家は幼児期の子どもにどんな習い事をさせるといいと言っていますか。

男：近年、子どもが習い事を始める年齢が低下してきています。幼児期から習い事をさせることは脳の発達に非常に効果的です。また、社交性も高まるという調査結果も出ています。しかし、本来であれば親と過ごすべき幼児期の貴重な時間を習い事に費やしてしまうというのはいかがなものでしょうか。親御さんたちもお子さんに習い事をさせているということで、安心してしまっているのではないでしょうか。とにかく幅広く何でも習わせてみようと考える親御さんも多くいらっしゃるようですが、闇雲に習い事をさせるのではなく、まずは親子で一緒にいろいろな経験をして、その中でお子さんが強く興味を示したものを習わせてみてはいかがでしょうか。幼児期というその後の性格形成に大きく関わる時期をぜひ親子で過ごしていただきたいと思うのです。

この教育評論家は幼児期の子どもにどんな習い事をさせるといいと言っていますか。

3 N1-17 答え 2

男の先輩と後輩が話しています。男の先輩が商社に就職したのはどうしてですか。

男：そういえば前に就職活動を始めるって言ってたけど、どう？ 順調？

女：説明会に参加したり先生や先輩たちに話を聞いたりはしていますが、まだ何も決められなくて。先輩はどうして商社で働こうと思ったんですか。

男：僕は旅行が趣味で、学生の頃は旅行関係の仕事に就きたいと思っていたんだよ。でも、大学生の時に訪れた国で、生活や教育環境に恵まれない女性や子どもたちに出会って考えが変わったんだ。

女：どう変わったんですか。

男：人の役に立つ仕事がしたいと思ったんだよ。フェアトレードって聞いたことがあるだろう？ 途上国で生産されている物を適正な価格で継続的に取引することによって、一時的ではなく、持続的に支援する仕組み。もともと貿易には興味があったからこれだ！って思ってさ。

女：へえ、かっこいいですね。

男：かっこいいどころか、まだ上司に言われたことすらまともにできてないけどね。でもいつかは必ず自分の夢を叶えてみせるよ。

男の先輩が商社に就職したのはどうしてですか。

4 N1-18 答え 2

テレビで女のレポーターが家具屋の社長にインタビューをしています。社長は家具作りで一番大事なことは何だと言っていますか。

女：今日は墨田区にある家具屋さんに来ています。まずは社長さんにお話を伺います。こちらでは全て手作業で家具を作るとお聞きしましたが、大変に思うことはないのでしょうか。

男：もちろんありますよ。注文を受けてから作り始めるので、どうしてもお客様をお待たせしてしまいます。それに全て職人による手作業なので、大量に生産することもできません。手間と時間がかかってしまいますし、値段もそれなりに上がってしまいます。

女：それでも今のやり方にこだわるのはなぜでしょうか。

男：はい、先ほど申しましたように今のやり方は非効率的ですし、時代遅れなのかもしれません。しかし、職人の熟練した技術により、丈夫な家具を作ることができます。家具は何と言っても安全であることが大事なのです。また飽きのこないシンプルなデザインにも定評を頂いております。確かにお値段や納入期限などでお客様にはご不便をおかけしてしまうこともあるかと思いますが、その分お客様が納得できる質のいい製品をお届けできると信じております。

社長は家具作りで一番大事なことは何だと言っていますか。

5 N1-19 答え 3

喫茶店で女の人と男の人が話しています。男の人はどうして郊外に引っ越ししましたか。

女：西島さん、引っ越しされたんですか。

男：そうなんだ。郊外にね。通勤はちょっと大変になったけど十分通える距離だから。

女：以前、犬が飼える家に住みたいっておっしゃってましたよね。それで引っ越しですか。

男：犬は飼いたいけど、違うんだ。実は息子がアレルギーでうちは無理なんだよ。

女：あっ、それで空気のきれいな郊外に。

男：いや、息子のアレルギーは犬だけで、これといって生活に支障もないし、引っ越しを要するほどのことじゃないんだ。

女：そうなんですか。

男：実は親のことが色々と心配で。かといって同居するわけにもいかないし、どうしようかと考えている時に実家の近くにちょうどいい物件を紹介されてさ、軽い気持ちで妻と息子と見に行ったんだよ。

女：それで？

男：思ったより小さい家だったから反対されるかと思いきや、二人とも海の近くに住めるって喜んでくれたんだ。

女：へえ、それはよかったですね。

男の人はどうして郊外に引っ越ししましたか。

6 N1-20 答え 3

テレビで建築家が街づくりについて話しています。建築家は家を建てる時に最も気を付けなければならないことはどんなことだと言っていますか。

男：私はよく住宅のデザインを依頼されるのですが、家を建てる上で一番難しいことは環境とのバランスを取ることです。というのも住宅というのは家族が快適に過ごすことができる安らぎの場でなければならないのと同時に、街と一体化することが求められるものだからです。例えば映画に出てくるようなデザイン性の高い住宅が下町情緒の残る街中に建設されては街の景観を損ねてしまいます。家を建てるのも街を作るのも、つまりは周囲とのバランス、何よりも調和が必要なのです。周囲に溶け込むことでその街の一部となり、ひいては自分の街を誇れるようになるのです。一生愛着の持てる家を建てたいのなら、そのことを忘れないでいただきたいと思うのです。

建築家は家を建てる時に最も気を付けなければならないことはどんなことだと言っていますか。

7 N1-21 答え 1

ラジオで男の人と女の人が話しています。女の人は近所とのトラブルを避けるためには何が一番大事だと言っていますか。

男：今日のテーマは「ご近所トラブル」です。中でも多いのが騒音問題だそうです。騒音問題と聞くとパーティーや喧嘩のような大きな音という印象を持ちますが、実は食器を洗う音や洗濯機の音、子どもの足音などの生活音が問題になっているんだそうです。

女：生活リズムの違いや感覚の差もあるとは思いますが、私は近所付き合いが希薄になっていることが最大の問題点だと思います。例えば自分の友人や家族が話していても、うるさいと感じる人は少ないと思います。友人の子どもの足音なら「うるさい」ではなく「今日も元気だ」と感じるのではないでしょうか。もちろん馬鹿騒ぎは例外ですが、相手を知ることで感じ方も変わってくると思います。

男：確かにそうですね。また騒音を出している側も苦情が来るに至ってやっと迷惑をかけていたことに気が付くというケースもありますので、日頃から騒音を出さないように意識することも忘れてはいけませんね。

女の人は近所とのトラブルを避けるためには何が一番大事だと言っていますか。

第9週 2日目

課題理解 Task-based comprehension p.170

1 N1-22 答え 4

診療所で受付の人と男の人が話しています。男の人はこの後まず何をしますか。

女：おはようございます。えーと、8時半から健康診断で予約の佐々木さんですね。まずあちらの台で問診票をお書きになってから、受付までお出しください。

男：あ、はい。問診票はもう記入してあるんですが。

女：それでは、今いただきます。では、検診にあたってご説明いたしますね。まず、あちらの更衣室で検査着にお着替えください。その後は血液検査、視力、聴力、胸部X線と続き、問診で最後になります。血液検査の後ですが、場合によっては空いている検査に最初にご案内いたしますので、係の者の指示に従ってお回りください。ではこちらが、検査着です。それから、更衣室にマスクをご用意しておりますので、検査中は着用をお願いします。

男：ありがとうございます。

女：……あ、佐々木さん、申し訳ございません。ご記入漏れがありますので、この部分のチェックをお願いします。

男：あ、すみません。その部分よくわからなかったんです。聞いてもいいですか。

女：ええ。ではこちらで。

男：あと、この検査着、上しかないけど。

女：佐々木さんの場合は、簡易検査なので、上だけで構いません。

男：そうなんだ。あ、じゃ、この部分なんですが……。

男の人はこの後まず何をしますか。

2 N1-23　答え　2

ホテルのフロント係と女の宿泊客が電話で話しています。フロント係はこの後まず何をしますか。

男：はい、フロントでございます。

女：すみません。３０３号室の山本です。先ほどルームサービスでパスタを頼んだんですが、変更は可能ですか。それから、シャワーを浴びようとしたら、お湯が出なくて……。ちょっと見てもらえませんか。

男：申し訳ございません。お湯のほうなんですが、バスルーム脇のスイッチのランプは点灯していますでしょうか。点灯していれば出るはずなんですが。

女：ちょっと待って。あ、消えてる。つけてみますね。

男：では、しばらくそのままお待ちください。えーと、ルームサービスのほうの変更ですが、まだ変更可能でございます。変更の場合、レストランに申し伝えますが。

女：じゃ、さっきのパスタをやめて、ピザに。

男：かしこまりました。

女：あと、携帯電話の充電器もお願いできますか。

男：はい。ただいまお持ちします。

女：それはルームサービスの時で構いません。

男：承知しました。そろそろお湯が出ると思うんですが、いかがですか。

女：あ、大丈夫でした。ありがとうございます。

男：では、ごゆっくりお過ごしください。

フロント係はこの後まず何をしますか。

3 N1-24　答え　1

日本語学校で男の留学生と先生が話しています。男の留学生はこの後まず何をしますか。

男：先生、さくら県立大学の願書を持ってきたんですが、見ていただけませんか。

女：ええ、いいですよ。順番に見ていきましょう。まずは入学志願票ですね。必要事項は書いてありますね。それから、受験料の振込用紙。これもいいですね。帰りに郵便局で支払って、払込受付証明書をこの志願票の裏、えーと、この部分に貼ってください。あれ、ちょっと待って、ここ間違えたんですか。

男：あ、ちょっと……。

女：ごまかしているようだけど、ごまかし切れてないですよ。間違えたってわかりますから、もう一度。志願票は大切ですから、書き直してください。今晩でいいですから、落ち着いてやってくださいね。それから、成績と出席率証明書も事務局で申し込んでください。

男：もう、それはしてあるので、でき次第取りに行きます。

女：それから写真も古いですから、新しいのを準備してください。あ、今日は金曜日でしたね。じゃ、書類と写真は明日あさってでそろえて、週明けに出すように。郵便局は明日休みだから、さっき言った通り帰りにお願いしますね。

男：はい。ありがとうございます。

男の留学生はこの後まず何をしますか。

4 N1-25　答え　3

母親と中学生の息子が話しています。息子はこの後まず何をしますか。

女：おかえり。学校、どうだった。

男：楽しかったよ。それより、お母さん、おなかすいた。おやつは？

女：テーブルの上にあるよ。その前に、手を洗って、うがいしてね。

男：わかってるよ。

女：宿題あるなら、夕飯前に終わらせなきゃだめだよ。あ、手を洗ったら、ちゃんとふいて！ もう！ それから、靴下！ 脱いだら脱ぎっぱなしで。部屋もマンガやらゲームやら出しっぱなしなんだから。明日の週末は、何をするよりもまず片付けなさいよ。で、宿題は？

男：作文と数学のドリル。週末だからって、出しすぎなんだよ。あの先生。

女：そうね……。結構量があるんだね。じゃあ、夕飯前に全部終わらせろとは言わないから、手を付けなくっちゃだめだよ。

男：わかってるよ。

息子はこの後まず何をしますか。

5 ♪ **N1-26**　答え　3

食品工場で男の部長と部下が話しています。部下はこの後まず何をしますか。

男：鈴木さん、来週、東京本社の社長が工場の視察にいらっしゃる件だけど……。

女：はい、滞りなく準備しておりますが、何か。

男：予定では午前中には到着して、管理棟をご覧になったあと、昼食がてら会議室で新商品の試食会をすることになっているって、僕、先日伝えたよね。

女：ええ、そのように手配しております。

男：それが、社長にご予定が入ったようで、到着が午後２時を回るってメールが来たんだよ。当初は昼休憩後、３時から工場の製造ラインを視察される予定だったんだ。だから、管理棟会議室の利用は午後３時半以降にしてほしいって、各部署にもう伝えちゃってるんだけど、やっぱり終日使用不可に変更しないといけなくって。

女：わかりました。掲示板にあとで訂正を入れておきます。

男：うん。それより、各部長には至急口頭で伝えておいて。その後、夜の会食の時間変更も。

女：かしこまりました。

部下はこの後まず何をしますか。

6 ♪ **N1-27**　答え　2

中学校で女の教師と男の教師が話しています。女の教師はこれからどのような対策を取りますか。

女：渡辺先生、ちょっとご相談なんですが。

男：はい、何ですか？

女：実は、うちのクラスのことなんですが、宿題をしてこなくて困っているんです。宿題をしたといっても、ところどころ書いていないことも多いし、木村くんに至っては、友達の宿題を写して平気で出してくるんですよ。まあ、それでも出すだけましで、この間なんか明日、明日って、君の明日はいつなんだって言いたくなるくらいなんですよ。

男：困りましたね。私も以前のクラスがそうでしたよ。いろいろな対策を取ったんですがね。

女：で、改善は。

男：まあ、ある程度は。

女：先生が行った効果的な対策をぜひ、お聞かせ願いたいです。

男：効果的かどうかは、クラスの雰囲気にもよるってことを前提に聞いてくださいね。私がまずしたのは飴と鞭の方式で、やったらほめて、やらなかったらトイレ掃除。

女：それは名案ですね。やってみようかな。

男：でも、これは一時的にはよかったんですが、続きませんでした。損得で人を動かすのはだめですね。それから、班を作って、リーダーに責任を持たせてみたんです。これは意外と効果的でしたよ。とにかくリーダーの自覚とそれに協力しようという協調性は育ちましたね。提出率もそこそこ上がりましたよ。生徒一人ひとり出来不出来があるけど、他の子と比べて競争心をあおるんじゃなくて、その子自身の昔と今を比べることですね。

女：すごいですね。試してみます。

男：ええ、頑張ってください。

女の教師はこれからどのような対策を取りますか。

ポイント理解 Point comprehension p.171

1 N1-28 答え 2

テレビで女のレポーターが喫茶店の店主にインタビューしています。この店を開いた一番のきっかけは何ですか。

女：私は今この地域で大人気の古民家カフェに来ています。それでは中に入って店主の今井さんにお話を伺いたいと思います。こんにちは～。

男：こんにちは。

女：わあ、ほんとに素敵なお店ですね。今井さんは脱サラをして１年前にこちらのお店をオープンされたということですが、どうしてこのようなことをしようと考えたんですか。

男：もともとコーヒーが大好きだったというのもあるんですが、近所に住んでいる母に、町の開発で昔ながらの気軽に集まれる喫茶店がなくなって寂しいって言われたことですかね。

女：そうですか。お店をつくるにあたって、心掛けたことは何かありますか。

男：ええ。入った瞬間に懐かしさを感じるような、ただいまって言いたくなるような、そんなお店を目指しました。

女：それで古民家なんですね。

男：ええ、やっぱり囲炉裏や縁側って日本人の心の根源にあると思うんですよね。若い人にも人気ですよ。それに驚いたことに囲炉裏を囲むことによって世代を超えて自然に会話が生まれて笑いが絶えないんです。

女：すばらしいですね。

この店を開いた一番のきっかけは何ですか。

2 N1-29 答え 3

日本語学校で男の留学生と先生が話しています。先生はどうして小学生用の本を勧めましたか。

男：先生、この「外国人のための漢字ドリル」っていう本はどうですか。

女：ああ、その本ね。日本語学校でのシェアはトップですよ。外国人向けだから、説明がとにかく丁寧だし、練習も多いし。ダンさんは書くのが苦手だから、ちょうどいいんじゃない？

男：ええ、初級の頃はよかったんですが、中級は難しくて。先生がおっしゃる通り、書けることが大切なのもわかっているんですが、今はそれより語彙をもっと増やしたいんです。N１のテストは語彙量が鍵だと思っているんです。

女：確かに。それならむしろこの「小４漢字」がおすすめかな。

男：小４って、小学生用の本ですか。

女：ええ、とはいえ侮れないよ。漢字の成り立ちから学べるし、何しろ語彙マップを作りながら学べるから、力がつくと思うよ。

男：語彙マップって何ですか。

女：えーと、こんな感じ。一つの漢字や言葉から連想する言葉や関連する言葉を線でつなぎながらどんどん書き足していく方法なんだけど。書き足しながら、書く練習もできるし、今のダンさんには最適じゃないかな。

男：そうなんですね。小４が終わったら小５、小６ってレベルを上げられそうなのも、いいですね。

先生はどうして小学生用の本を勧めましたか。

3 N1-30 答え 3

大学の教授が話しています。教授は、勉強に最も適している時間はいつだと言っていますか。

男：脳には学習に適した時間があります。どんなに優秀な人をもってしても、脳が24時間安定かつ継続して働く人はいません。そもそも人間は動物であり、本能に抗えない部分があります。脳が最も働くのは食料確保の時です。つまり空腹で食料を欲している時が、一番脳のパフォーマンスが高いのです。例えば、夕食の２時間前ぐらいは程よく空腹を感じるため、学習に最適と言えるでしょう。また、朝起きてから朝ご飯までの２時間は集中力が高まる時間だと言われているのですが、朝、空腹を我慢して机に向かうというのは無理がありますので、朝食はしっかりと食べましょう。

食後１時間ぐらいすると、消化も進みますから、最高とは言えなくても十分なパフォーマンスは期待できます。ですから、７時半頃に食べて、９時から授業というのは理に適っていると言えます。

教授は、勉強に最も適している時間はいつだと言っていますか。

4 N1-31　答え　1

会社で男の人と女の人が話しています。男の人は何のお礼を言いましたか。

男：原田さん、先日はありがとう。

女：えっ、何ですか。

男：ほら、息子さんのテニスウェア。

女：ああ、あれですね。買ったはいいものの、すぐに大きくなっちゃって２、３回着た程度だったから、もらってくださってこちらこそ助かりました。

男：いやいや、テニスを習いたいってせがまれてたんだけど、何しろ僕に似て飽きっぽくて、途中でやめられたら痛い出費だなって思ってたから。

女：で、息子さんの調子は？

男：なかなかはまってるよ。今回は長続きしそう。それもこれも原田さんのおかげだよ。息子さんとメールアドレスの交換もして、なんだかんだ相談してるみたいだし。

女：お礼を言うのはこっちのほうですよ。息子も先輩ぶっちゃって、なんだか最近しっかりしてきたんです。

男：それはよかった。今後ともよろしくね。

女：じゃ、また持ってきます。実はもう一着あるんです。今度はボール付きで。

男：それはありがたい。

男の人は何のお礼を言いましたか。

5 N1-32　答え　3

ホテルでインターンシップの女の学生と支配人が話しています。ホテルスタッフとして最も気を付けたい心得は何だと言っていますか。

女：今日からお世話になります。どうぞよろしくお願いいたします。

男：こちらこそ、よろしく。それではホテルスタッフの心得をお話ししますね。まず、話し方はよく注意されますが、私が言う話し方とは敬語もさることながら、声のトーンです。お客様をよく観察し、どのような調子で話すのが心地よいかを考えてください。

女：はい。お客様に信頼していただけるような話し方をする、ということですね。

男：そうですね。またホテル内での歩き方も重要です。お客様をお部屋にお連れした後、下向き、猫背でフロントまで戻るスタッフがいます。それでは暗い印象を持たれます。あと、何よりもこれだけは肝に銘じてほしいんですが、勤務時間外の行動です。休日の服装や行動の制限はしませんが、歩きたばこなどはもってのほか、普段から当ホテルのスタッフとしての自覚ある行動をしてください。

女：はい、承知しました。

男：最後に、これは社会人として当たり前のことではありますが、身だしなみと、清潔であることにはよく気を付けるようにしてください。

ホテルスタッフとして最も気を付けたい心得は何だと言っていますか。

6 N1-33　答え　2

ラジオで気象予報士が話しています。今日の東日本の天気はどうなると言っていますか。

女：今日は、北日本を前線が接近、通過する影響で北海道や東北北部を中心に雨が降り、傘が活躍するでしょう。また日本海側を中心に強風と雷を伴う雨の恐れがありますので、ご注意ください。一方、太平洋側の東日本では雲が広がり朝晩は涼しいものの、昼間は汗ばむような気温となるでしょう。ただ今夜遅くから明日にかけて冷え込みますのでご注意ください。西日本では、気温が上がり厳しい残暑となりそうですが、午後ににわか雨の可能性があるので、お出かけの際は折りたたみ傘をお持ちになると安心です。
今日の東日本の天気はどうなると言っていますか。

7 N1-34　答え　3

男の人と女の人が話しています。男の人はこの映画のどこが一番よかったと言っていますか。

男：この映画、最高だったね。ここ数年見た中でも５本の指に入るよ。

女：確かに。私はそこまでとは言えないまでも、よかったと思う。

男：まずストーリーがいいよね。話にうそがないというか、臨場感あふれる展開も最高だったよ。

女：そりゃ、事実に基づいて作られた映画だからね。

男：やっぱり事実に勝るものはないか。

女：私は主人公の夫の人となりがよく描かれてた点がよかったな。

男：うん。同感。それを支える家族の絆。その最期は壮絶な病魔との闘い。最愛の妻を残しこの世を去ることへの無念と覚悟。別れのシーンであの演技は真に迫るものがあったね。この映画の要はあの俳優の演技に尽きるね。

女：つまり、たかしは夫に感情移入しちゃったわけね。私はやっぱり妻側。夫の最期を静かに看取るシーンは涙なしには見られなかったよ。最後に夫が残したサプライズを家族が受け取るラストシーンが最高だったな。

男の人はこの映画のどこが一番よかったと言っていますか。

第9週　3日目

課題理解 Task-based comprehension　p.172

1 N1-35　答え　3

高校の職員室で学生と女の先生が話しています。学生はまず何をしますか。

男：先生、今度、うちのダンス部のホームページを更新することになったので、学校のパソコン室を使用したいのですが、どうやって申し込めばいいでしょうか。

女：ああ、それなら使用許可申請書に使いたい時間と使用目的を記入して、ダンス部の顧問の先生のサインをいただいた上で、私に提出してください。申請書はあそこの棚にあるから、ここで記入してもいいですよ。

男：はい、ありがとうございます。あの、でも、使いたいのが来週の木曜日の放課後なんですが、木曜日は毎週、数学研究部がパソコン室を予約しているんです。

女：そうですね。でも、数学研究部は部員数が多くないから、ダンス部がパソコンを何台か使っていても支障ないと思いますよ。でも、念のため、事前に部長の木村君に予定を確認してみてください。彼は確か、３年１組だったはずです。

男：ああ、はい。僕、同じクラスです。

女：部屋の使用申請は、希望日の１週間前までにすることになっているから、提出、忘れないでくださいね。

男：はい、わかりました。

学生はまず何をしますか。

2 N1-36　答え　1

会社で男の上司と部下が話しています。部下はまず何をしますか。

男：北村さん、昨日の会議でちょっと話した新規事業のチームリーダーを北村さんにお願いしたいと思っているんだが、どうだろう。

女：光栄です。ぜひやらせてください。

男：そう言ってくれると思っていたよ。チームメンバー選びにも北村さんの意見を反映したいから、社内でいいと思うメンバーを５人ほど選んで、明日までに僕にメールで教えてくれないかな。

女：はい、かしこまりました。もう心当たりはあるのですが、少し考えてから、お伝えします。

男：うん、ありがとう。メンバーは今週中に確定して、正式に名簿を送るよ。企画会議もしなくちゃいけないから、メンバーが決まったら、至急、準備に取り掛かってくれ。僕の持っている資料も名簿と一緒に送るから、勉強しておいて。
女：はい、わかりました。
部下はまず何をしますか。

3 N1-37 答え 3

女の人と男の人が話しています。男の人はまず何をしますか。

女：ねえ、旅行先で乗るレンタカーの手配って、どうなってる？
男：え、それは君がやってくれるって、言ってたじゃないか。それで僕がホテル探しと行き帰りの新幹線の予約をするっていう約束だったよね。
女：そんなこと言ってないって。あなたときたら、私の言うこと全然聞いてないんだから。
男：そんな言い方ないだろう。ってことは、新幹線、もう押さえちゃったの？ 明日から20パーセント引きのキャンペーンが使えるから、それを利用するつもりだったんだけど。
女：え、そうだったの？ 2割引きは大きいね。じゃあ、予約をキャンセルしなくちゃ。
男：でもキャンセル料がかかるだろ。
女：手数料がかかるだけだから、そのキャンペーンを使ったほうがお得なはず。でも、万が一キャンペーンの席が売り切れちゃった場合のことも考えて、キャンセルは後にしたほうがいいね。悪いけど、手続きやってもらえる？ 泊まるところの候補は私が調べとくから。
男：オッケー、それで、レンタカーは？ 早めに予約したほうがいいかな。
女：ああ、そうそう、その話なんだけど、向こうにいる友達が貸してくれるっていうから……。
男：ああ、よかった。じゃあ、お世話になろう。
男の人はまず何をしますか。

4 N1-38 答え 1

本屋で男の店長と店員が話しています。店員はまず何をしますか。

男：飯田さん、文庫本コーナーの整理、終わった？ 僕、そろそろ昼休憩に行こうと思っているんだけど、その間に頼みたいことがあって。
女：はい、店長。たった今終わったところです。次は雑誌コーナーの整理でしたよね。でも、この本、カバーが汚れているようなんですが……。
男：どれどれ。ああ、これはおそらく、出荷時についた汚れだね。販売元に商品の取り換えを依頼しなくちゃいけないな。それは僕があとでやるから、僕が昼休憩に行っている間に、同じ商品を全部確認して、他に汚れが付いているのがないか、確認してくれるかな。
女：はい、わかりました。それで、私に頼みたいとおっしゃっていた仕事って何でしょうか。
男：ああ、そうそう、新しいアルバイトの人がもうすぐ来るから、僕が戻るまで奥の部屋でマニュアルを読みながら待つように伝えてもらおうと思ってたんだけど……、ちょうどいいや、制服のエプロンを出してあげて、一緒に商品の汚れの確認をしてもらえる？
女：はい、かしこまりました。
男：レジは安部さんがやってくれてるから、飯田さんはその人のフォローを頼んだよ。その人が来るまでは、予定していた仕事をしていてね。
女：はい、わかりました。
店員はまず何をしますか。

5 N1-39 答え 4

大学で女の学生と教授が話しています。女の学生はまず何をしなければなりませんか。

女：先生、先日提出した研究計画書なんですが、修正して再提出してもよろしいでしょうか。
男：ああ、締め切りまでには時間がありますし、いいですよ。実は、高野さんの計画書、もう読ませてもらったんですが、確かに改善の余地があると思います。
女：はい、研究手法をインタビュー調査としていたのですが、もっと全体の傾向を見る必要があると考え、統計調査に変更したいと考えているんです。

男：うーん、全体の傾向ですか。それだったら、岩井さんが似たような研究をしていたと思いますよ。一回、彼女に話を聞いてみるといいですよ。それでも統計調査にしたいというのなら、私は止めませんけど。

女：岩井さんの研究ですか。それは見落としていました。論文に発表されている先行研究は、ほとんど確認したつもりだったのですが……。

男：うん、研究計画書でも、主要な文献は網羅していたと思いますよ。でもいかんせんこのテーマは先行研究が多いから、独自性を出すことが難しいんですよね。彼女に話を聞く前に、もっと研究動機の部分を練り直してみてはどうですか。たとえ研究手法やテーマが他の人とかぶったとしても、そこさえもっと明確になれば、独自の問題設定ができますからね。

女：はい、アドバイスありがとうございます。やってみます。

女の学生はまず何をしなければなりませんか。

6 ♪ **N1-40**　答え　3

病院で女の医者と患者が話しています。患者はこれから何をしますか。

女：太田さん、血液検査の数値、だいぶ改善されてきましたね。生活習慣、ちゃんと気を付けているみたいですね。

男：ありがとうございます。先生に言われてから、野菜中心の食生活に切り替えて、食べる量もだいぶ減らしたんです。でも運動はやっぱりあまりできていなくて……通勤の時、バスに乗らずに意識的に歩くようにしたり、週末はジョギングしたり気を付けてはいるんですが……。

女：そうですか。確かに運動は大切ですが、この調子なら、無理してするほどのことではありませんよ。

男：ほっとしました。ただ、先生、最近夜中におなかが空いてなかなか寝付けないんです。睡眠薬を処方していただくことはできませんか。

女：うーん、新しい習慣に体がついていけていないみたいですね。やみくもに食事の量を減らしても、体のためになるとは限りませんからね。専門の栄養士を紹介しますから、相談してみてください。お薬に関しては、また次回の診察の時に検討しましょう。

男：わかりました。ありがとうございます。

患者はこれから何をしますか。

ポイント理解 Point comprehension　p.173

1 ♪ **N1-41**　答え　2

女の人と男の人が話しています。男の人が女の人の見つけた掃除機を買いたくない理由は何ですか。

女：ねえ、ネットの掲示板で中古の掃除機が売ってるよ。中古とはいえ、まだ十分に動くって書いてある。

男：そういえば掃除機がほしいって言ってたもんね。でも、中古なんかじゃなくて、新品を買えば？

女：新品は高すぎるよ。

男：でも、これなんか、その中古のとあまり値段が変わらないんじゃない？

女：それは充電式じゃないから使いにくそう。

男：うーん、僕は充電式だろうが何だろうが気にしないけど、人の家を掃除した掃除機なんて、ちょっと気持ち悪くない？ どんな家を掃除したのか想像せずにはいられないっていうか……あとは、重さかなあ。重いと２階の掃除の時に運ぶのが大変だよね。

女：この中古のは、最軽量モデルだって。

男：あ、それより、こっちの掃除機なら、新品で、しかも充電式だし性能もよさそう。お金なら僕が出すからさ。

女：うーん……、そうねえ……。

男の人が女の人の見つけた掃除機を買いたくない理由は何ですか。

2 ♪N1-42　答え　3

男の人と女の人が話しています。男の人は女の人の町にある本棚の利点は何だと言っていますか。

男：ねえ、これ何？ 電話ボックス？

女：あれ？ ケイタ君の町にはない？ 町の人みんなで使う本棚だよ。気に入った本があったら自由に持っていっていいし、逆に読み終わった本を入れておくと、ほしい人がそれをもらっていけるっていうシステム。私はいつも散歩がてらチェックしてるんだけど、思いがけない本を見つけることがあって、楽しいんだ。なんだか他の人と本を通してつながっているみたいな気もするし。

男：へえ、おもしろいね。でも、街角にあると雨にぬれたり、本が日に焼けたりしないかな。

女：それは大丈夫。町が助成金を出して、しっかりした箱を作っているんだよ。景観にも気を配って、町の雰囲気を壊さないデザインを考えているんだ。

男：へえ、こういうのがあったら、みんながもっと読書をするようになって、いいだろうな。でも、僕の町じゃ無理かなあ。設置したら最後、本棚にごみを捨てられるくらいで済めばまだいいほうで、本を持ち去って、古本屋に売るような人が出てくるに違いないよ。

女：うーん、町の人のモラルにかかっているのかもね。

男：ちょっと見ていってもいい？ あ、この本おもしろそう。無料でもらえるなんて、ありがたいなあ。

男の人は女の人の町にある本棚の利点は何だと言っていますか。

3 ♪N1-43　答え　2

テレビで女の評論家が住みやすい環境について話しています。 30代から40代の人にとって最も大切なことは何ですか。

女：皆様、このグラフをご覧ください。これは、住みやすい環境について、年代別にアンケートを取ったものです。どの年代でも半数以上の人が重要視しているのは、使い心地のいい家具があることです。20代の人々にとっては、これが最も重要な要素のようです。30代から40代の人々にとっても同様に重要だという結果が出ていますが、近所の人々とのよい関係という要素が唯一、それを上回っています。子育て世代であることが関係しているのかもしれません。また、静かな環境を重要視する人が20代の10パーセントに比べて４倍以上に増加していることにも注目してください。この要素は、50代以降では実に90パーセントの人が大切だと回答しています。この世代以降、庭やバルコニーがあることも重要視されるようになります。30代から40代では庭やバルコニーを求める人が半数以下なのにひきかえ、50代以降ではその倍以上の人が希望するようになるのです。

30代から40代の人にとって最も大切なことは何ですか。

4 ♪N1-44　答え　3

女の人と男の人が話しています。女の人は手首の痛みの原因は何だと考えていますか。

女：あいたたたたた……。

男：どうしたの？

女：最近手首が痛いんだよね。

男：それ、腱鞘炎じゃない？ 昔はピアノやスポーツで手首を痛める人が多かったんだけど、最近はパソコンやスマホの使いすぎで腱鞘炎になる人が多いんだって。

女：弱ったな。来週テニスの試合なのに。

男：一度発症したら、何週間か手を動かさないようにしていないといけないらしいよ。テニスは難しいんじゃないかなあ。悪化させて、仕事に支障が出たら、本当に困ることになるよ。重症ともなったらパソコンのキーボードを打つのも痛くなっちゃうんだから。

女：ああ、やだなあ……、先週、重い荷物を持ったからな。

男：えー、君の場合はスマホの使いすぎだよ。いつ見てもスマホをいじってるじゃないか。

女：動画を見るのが主だから、手を使うってほどのことじゃないよ。

男：うーん、とにかくお大事にね。

女の人は手首の痛みの原因は何だと考えていますか。

5 N1-45　答え　4

会社で男の人と女の人が話しています。女の人は水口さんのどんなところを真似したいと言っていますか。

男：ねえ聞いた？ 隣の部署の水口さん、市民絵画コンクールで大賞をとったんだって。

女：聞いた聞いた。彼女の絵、見たことあるけど、本当に繊細に描き込まれているんだよ。

男：はは、彼女、ちょっと完璧主義なところがあるからね。資料作りともなると、内容だけにはとどまらず、色からグラフまでとことんこだわってて。この前の会議の資料も、遅くまでかかって準備していたみたい。

女：まあ、それはあまり感心しないけど、仕事に一生懸命なのはいいことだよね。営業成績もいつもトップだし。そんなに仕事にも打ち込んでて、趣味まで……。彼女の体力には驚かされるね。最近始めた趣味なのかな。

男：学生時代から描き続けてるらしいよ。誰かと違って、根気あるよね。

女：もう！ ひどーい。確かに、私は趣味が全然長続きしないけど……。見習わないとな。

男：ははは。そのためには体力作りからだね。

女の人は水口さんのどんなところを真似したいと言っていますか。

6 N1-46　答え　2

男の人と女の人が話しています。このアニメの評判がいいのはどうしてですか。

男：このアニメ、知ってる？

女：うん、毎週見てる。結構おもしろいよ。話はありきたりだけどね。

男：宇宙を舞台にした話だよね。僕そういう話、大好きなんだ。映像はどう？ 映像作成に使用されてる技術が、最近開発されたもので、アニメにも関わらず、まるでそこに自分がいるかのように感じられるって評判を聞いたんだけど。

女：うーん、そう言われれば、きれいな映像だったかな。

男：えっ？ 覚えてないの？

女：私は主人公の声優さんが好きで見てるだけだから、そんなに画面に注意を払っていなくって。目をつぶって声だけ聞いてる時もあるくらい。

男：なんだあ。ところで、声優さんって、あの、この前一緒に見たアニメ映画で主人公をやってた人？

女：そうそう。若手声優きってのスターなんだよ。あの映画の主題歌も彼が歌ってたんだけど、今だけ特別に無料配信しているそうだから、ぜひ聞いてみてよ。

このアニメの評判がいいのはどうしてですか。

7 N1-47　答え　3

ラジオで男の人が話しています。このプロジェクトのもともとの目的は何ですか。

男：市民庭園プロジェクト、広報担当の酒井と申します。本日は我々のプロジェクトについてお話しさせていただきます。東京のような大都市に住んでいても、子どもに自然を肌で感じさせたいという親御さんは多いのではないでしょうか。私たちのプロジェクトでは、公園の一部を借り、ボランティアの成人会員の熱心な指導のもと、子どもたちが土を耕したり、苗を植えたりしています。子ども向けの農業体験、といったところでしょうか。自然に関する知識も深まりますし、家族以外の大人と接するいい機会にもなっているようです。しかし、楽しいだけの一過性のイベントに終わることがないよう、子どもたちには、その年に何を植えるかという計画段階から加わってもらっています。また、雨の日も含めて、毎週の活動に原則参加という少々厳しいルールを守らせています。このようにして、設立の趣旨でもある、命に責任を持つということを学んでもらいたいと考えているんです。また、社会問題への意識を高める機会になるようにと、今年はミツバチの減少をテーマに、その理由を調べて市民祭りで発表する活動もしました。来年度はミツバチの巣箱を設けてみようと、子どもたちと計画しています。

このプロジェクトのもともとの目的は何ですか。

第9週　4日目

課題理解 Task-based comprehension　p.174

1　N1-48　答え　1

男の店長と女の人が話しています。女の人はこの後まず何をしますか。

男：坂本さん、今日が初日だよね。あとで、みんなにも紹介するから、その時は一言挨拶してね。じゃあ、まず、仕事に入る前に、契約書の記入をお願いしようかな。今日って印鑑持ってる？

女：え、印鑑が必要だったんですか。すみません、今は持っていないんです。

男：あ、そうなんだ。事前に伝えたつもりだったけど、漏れてたかな。

女：家、すぐそこなので、取ってきましょうか。

男：え、そうなの？ ま、でも、これは次のシフトの時でいいや。急ぎじゃないんで、来週までに記入して出してくれればいいから。あとは、制服か。制服の場所はあとでアルバイトリーダーの小川さんに案内してもらうから、先に来月のシフト希望、出してくれる？

女：はい。今確認します。

男：あ、小川さん、今手あいたって。やっぱり制服、受け取りに行こうか。

女：わかりました。

男：あっ、ちょっと待って、今、店内落ち着いてるな。いいタイミングだから、坂本さんよろしく。

女：はい。

男：みんな、ちょっと集まってもらっていい？

女の人はこの後まず何をしますか。

2　N1-49　答え　3

会社で男の人と課長が話しています。男の人はまず何をしなければなりませんか。

男：あの、課長、コピー機なんですが、紙が詰まっているというメッセージが出たので、たぶんこれだろうなってものを取り除いたんですが、それでも、うんともすんとも言わなくて。

女：え、じゃあ、すぐに総務部に電話して、修理をお願いして。

男：そうですね、あ、でももうこんな時間か。総務の人、もう帰っちゃってますね。

女：そうだね。しかも今日、金曜日か……。修理、早くても来週になっちゃうかな。

男：そうですね。私のほうは、特に急ぎで印刷したいものはないんですが、石井さんが明日休日出勤するって言っていたので、もしかしたらコピー機使うかもしれませんね。……あ、そういえば、前使ってたのが倉庫に置いてありましたよね。あれ、ここに持ってきましょうか。

女：え、あれ重いでしょ。古いから大きいし……。確かにまだ使えると思うけど、私たちだけで運ぶのは危ないよ。うーん、とりあえず、月曜日、出社したら朝一番に総務部に連絡してくれる？

男：はい。

女：で、すぐに直らないようだったら、倉庫のをみんなで運びましょう。とりあえず今は、このコピー機には貼り紙しといてくれるかな。故障中って。

男：はい、わかりました。

女：で、それが済んだら、石井さんに連絡してくれる？ ついでに休日出勤の時、裏口から入ることになってることも、伝えてくれると助かるんだけど。

男：わかりました。

男の人はまず何をしなければなりませんか。

3 N1-50　答え　2

大学で男の留学生と女の留学生が話しています。男の留学生は、これからまず何をしますか。

男：リンさん、この前引っ越ししてたよね。僕、日本で引っ越しするの初めてだから、ちょっと聞いてもいい？

女：うん。結構大変だったよ。部屋はもう決めたの？

男：うーん、今、いくつか間取り図見てるんだけど、この部屋、どう思う？

女：実際に見てないから何とも。ただ、部屋の中はもちろん、最寄駅までの行き方とか、近くにスーパーがあるかとかも見て、決めるに越したことはないよ。気になる部屋があるなら、まずは不動産屋に連絡して、見学させてもらいなよ。その時に、町の様子も確認すればいいから。

男：わかったよ。

女：あとは、ガスとか電気とかも申し込まないといけないんだよね。事前にやっておかないと、いざ引っ越した日につけようとしても、何もできませんでした、ってことにもなりかねないから。

男：ああ、そうなんだ。じゃ、それは部屋を決めたらすぐにしないとね。電話すればいいの？

女：うん。電話か、ネットでもできると思うよ。あとは、引っ越しサービスは予約した？ 早めに予約しておかないと、希望の日に引っ越しできなくなるよ。

男：ああ、それは困るな。でも、それってもうできるの？

女：うん、大まかな住所だけでもわかっていれば、仮予約はできるよ。大体この辺に住みたいっていうのは決めてるんでしょ？

男：まあね。

女：じゃ、もう今仮予約しちゃったら？ ケータイからもできるから。

男：そうだね。あっ、でも、候補の中で一つだけ、離れてる家があるんだった。

女：まあ、引っ越し先のエリアが決まり次第、早く連絡したほうがいいよ。

男：うん、わかった。ありがとうね。

男の留学生は、これからまず何をしますか。

4 N1-51　答え　3

眼鏡屋で男の客と店員が話しています。男の客はまず何をしますか。

男：すみません。眼鏡のフレームが折れちゃったので、新しいのを買いたいんですが。

女：はい、ありがとうございます。当店のご利用は初めてでいらっしゃいますか。

男：いえ、以前こちらで買った眼鏡が折れてしまって。

女：あ、それでしたら、無料で修理を承りますが。本日、保証書はお持ちでしょうか。

男：ああ、そうなんですか。うーん、保証書、家にあったかな……。でも、その眼鏡買ってから、かれこれ３年くらい経つし、いっそ新しいのに買い替えちゃおうかと思ってて。

女：さようでございますか。では、まず視力検査から始めさせていただきます。３年前ですと、気が付かないうちに視力が落ちていることもありますので。

男：はい。

女：それではこちらの長いすにおかけください。ただいま、検査室がいっぱいなので、お待ちいただいている間にこちらのアンケートにご記入いただけますか。ご回答いただいたお客様には、500円のお値引きをさせていただきますので。

男：あ、はい。それはありがたいな。

女：それと、壊れた眼鏡ですが、もし、ご自宅に戻られてから保証書が見つかりましたら、新しい眼鏡のお引き取りの際、ぜひ一緒にお持ちください。フレームを直せばまだ一応使えるかもしれませんし。

男：ああ、そうですね。

男の客はまず何をしますか。

5 N1-52　答え　4

男の学生と大学の就職支援センターの人が話しています。男の学生はこれからまず何をしますか。

男：すみません、海外のインターンシップに申し込みたいんですが。

女：海外インターンですね。去年の派遣者の報告レポートはもう読みましたか。あれを読んだほうが、イメージがつくと思いますよ。

男：はい、それは以前こちらに伺った時に、見せていただきました。それで、ベトナムのインターンに申し込むことにしたんですが、何か必要な書類などがありましたら、教えていただきたいんですが。

女：そうですね。まず、英語のテストのスコアと先生からの推薦状を提出する必要があります。

男：ああ、推薦状もいるんですね。担当の先生が今日はお休みなので明日の授業後にお願いしてみます。英語のテストは申し込んでありますが、来月結果が出るので、それからでもいいですか。

女：はい、大丈夫ですよ。それと、パスポートの期限が1年以上ないといけないんですが、大丈夫ですか。

男：あっ、どうだったかな、ちょっと自宅に戻って確認しないと……。

女：もし期限が足りなかったら、すぐに更新してくださいね。ビザの申請に2、3か月かかるので、これはすぐにでも確認したほうがいいですよ。

男：わかりました。

女：はい、じゃあ、まずは今すぐにできることから始めてください。それで、提出書類がそろったら、またこちらへ来てください。

男：はい、ありがとうございました。

男の学生はこれからまず何をしますか。

6 N1-53　答え　2

会社で部長と女の人が話しています。女の人は、これからまず何をしなければなりませんか。

男：北原さん、明日の新商品についてのプレゼン用の資料を確認しているところなんだけど、ここ、3ページのグラフ、これ、去年のマーケティングのデータだよね。今年のデータってもう出てなかったかな。やっぱり、最新情報を反映したほうがいいかと思うんだけど。

女：あ、はい。それなんですが、今年はデータの量が膨大で、まだ処理しきれていないので、やむなく、昨年のを……。

男：そうなんだ。まあ、新しいに越したことはないんだけど……。急いでやってミスとかあっても困るしね。じゃあ、資料に少し説明を加えておくといいかもね。本年度分のデータは、出次第、すぐにお知らせします、って書いておくとか。

女：ああ、そうですね。では、そのようにします。

男：あとさ、商品名なんだけど、なんかインパクトがないんだよな。似たような名前のものがすでに世の中に出回ってるでしょ。ちゃんと調べた？

女：いえ、すみません。まだ仮の名前でいいのかと思い……。

男：まあ、いいんだけどね。今回は仮のままで。でも、次の会議までには、他社の同じような商品の名前くらいは調べておかないと。あとはプレゼンが通ったら、サンプル作って、アンケート取るんだよね。アンケートの内容はどう？ もう決めてあるの？

女：ええ、昨年のものを参考に、内容を詰めているところです。

男：うん、そうか。まあ、差し当たっては、明日のプレゼンの準備だな。さっき言ったこと、お願いね。

女：はい。ありがとうございました。

女の人は、これからまず何をしなければなりませんか。

ポイント理解 Point comprehension	p.175

1 ♪ N1-54　答え　3

夫婦が絵本について話しています。夫はどうして絵本を読みたくないと言っていますか。

女：最近、お昼寝の時、リサにせがまれて、絵本の読み聞かせをしてるんだけど、なんかはっとさせられることが多いんだよ。それで私も読み直してるんだ。

男：ふーん。絵本か。

女：なんていうかな、小説とかに比べて文が短くてシンプルだからこそ、捉え方が何通りもある、というか、考えさせられることが多いんだよね。実際、リサに感想聞いたら、私が思ってることと全然違う感想を持ってて、あー、そういう捉え方もあるんだなって。

男：へえ、なるほどね。大人になってからもう一度読んでみると、新たな発見があるのかもね。ま、僕はあまり興味ないけど。

女：え、なんでよ。ここまで言ってるんだから、読んでみてよ。

男：うーん、まあ、言ってることはわかるけど、なんか絵本って教訓めいてて素直に読めそうもないんだよな。「みんなで協力しましょう」みたいな、ちょっときれいごとばかり書いてあって、いかにも教育って感じで。

女：まあ、わからなくもないけど……。でも、いいよ、大人になってから絵本を読むって。だから、たまにはあなたもリサに読み聞かせしてあげてよ。

男：え、そういう話だったの？ まあ、平日は仕事があるから無理だけど……、じゃあ今度の土曜日は僕が読んでやるか。

夫はどうして絵本を読みたくないと言っていますか。

2 ♪ N1-55　答え　4

テレビで女のレポーターが社長にインタビューをしています。社長は、会社を作ったきっかけは何だと言っていますか。

女：今日は若くして会社を作られ、成功を収めていらっしゃいます大沢社長にお話を伺います。では、まず、幼少期のことからお聞かせください。大沢社長はどんなお子さんだったんでしょうか。

男：はい、昔から人と違うことに興味を持っているような子どもだったと思います。幼い頃、みんながゲームに熱中している時、僕はむしろ、そのゲーム機の本体がどうなっているのかに興味があって、一人で黙々と分解していましたからね。あまり周りと相容れない子どもで、両親には誰かと一緒に働くのには向いてないから、自分で会社を作れば、なんて冗談めかして言われていました。

女：その頃からもう片鱗があったんですね。

男：まあ、でも実際は、そんなやる気も勇気もなくて、普通に大学まで進学して、就職活動をして、内定が取れた会社で働いていました。当時結婚を考えていた彼女もいたし、このままこの会社で勤め上げて、安定した生活を送ろうと思っていました。

女：ええ。

男：でも、28歳の時に大病をしたんですよ。死ぬかもしれないって本気で思った時に、もし生きることができるなら、もうこれからの人生は、自分のやりたいことをやろうって思ったんです。幸い、病状はすっかり回復したので、そこで決意したわけです。おかげさまで、今のところ経営も順調ですし、あそこで決心して会社始めてよかったなって思っています。

女：そうだったんですね。本日は貴重なお話、どうもありがとうございました。

社長は、会社を作ったきっかけは何だと言っていますか。

3 ♪ N1-56　答え　3

会社で先輩と女の人が話しています。先輩は、不安はどんな時に感じるものだと言っていますか。

男：島田さん、次のプロジェクトのリーダーに選ばれたって聞いたよ。大抜てきじゃないか！

女：ありがとうございます。でもチームで一番経験がない私がリーダーだなんて、皆さんどう思っているのか……。それに私に務まるのか不安で仕方がなくて……。

男：そんな事気にしているの？ 自信が持てないのはわかるけど「誰でも最初は新人だ」って部長がよく言ってるだろう？ それに初めてだからこそ慣例にとらわれず自由に考えられる事だってあると思うけど。

女：そうですけど、やっぱり不安で……。誰に相談すればいいのかもわからないし。

男：リーダーだからって全部一人でやるわけじゃないし、それに島田さん一人が頑張ってもできないよ。もっと力を抜きなよ。前に本で読んだんだけど、人は未確認のものに不安を覚える生き物なんだって。島田さんはまだ起きてもいないことをあれこれ勝手に想像して不安になっている。つまり、プロジェクトが始まってないから不安になるんだよ。始まってしまえば課題もはっきりしてくるだろう？ そうしたら一つずつ目標に向かって解決していけばいいんだ。全貌が見えなきゃ対処法は考えようがないから、不安になるのは当然だよ。

女：確かに、漠然と不安になっていました。それに勝手にプレッシャーを感じていました。

男：不安な時こそ、自分からその不安の中に入っていけばいいんだよ。

女：ありがとうございます。なんだか楽になりました。

先輩は、不安はどんな時に感じるものだと言っていますか。

4 ♪ **N1-57　答え　2**

講演会で数学の先生が話しています。先生は、学校で数学を学ぶ理由は何だと言っていますか。

男：私はもう30年近く、高校で数学を教えているのですが、生徒からは「私は文系だから、数学は全く必要ない」だの、「数学なんて社会に出たら使わない」だの、散々な言われようです。では、どうして学校で数学を勉強しなければならないのか。まあ、一言で言ってしまえば、国の指針で決まっているから、ということになりますが、そんなことを言っては元も子もありません。私が思うに、数学を学ぶ意義というのは、論理的思考を養うため、この一点に尽きます。数学は、問題文に出ている「仮定、前提」を見て分析、状況を把握し、「定義・公式」などを用い道筋を立て、最終的な答えに至ります。これが数学における基本であり、それは論理的思考そのものです。これは、文系、理系に関係なく、あらゆる人に必要な考え方であります。ですから、学校教育の中に数学が必修として組み込まれているのです。漠然と将来使うかもしれないからだとか、あえて無意味なことをさせて忍耐力をつけるため、なんていう人もいますが、そうじゃない。このような深い意義があるのです。

先生は、学校で数学を学ぶ理由は何だと言っていますか。

5 ♪ **N1-58　答え　3**

女の人と男の人が話しています。女の人は、どうして怒っていると言っていますか。

女：ねえ、ちょっと聞いてよ！

男：どうした？ 珍しくイライラしてんじゃん。

女：さっきまでカフェでバイトしてたんだけど、そこで嫌なことがあって。うちの店、9時開店なのね。それで、オープンと同時に入ってきたお客さんがいて、コーヒーのSサイズ頼まれたの。

男：うん。

女：それで、その人、なかなか帰らないわけ。12時過ぎたくらいからだんだん混んできて、席空いてないからって注文しないで帰っちゃう人とかもいて。で、もうさすがに、コーヒー1杯で3時間以上居座るってのもどうかと思って、その人に「もしご飲食がお済みでしたら、他のお客様に席をお譲りいただけませんか」って言ったの。そしたら、「帰れってこと？」って文句言われたの！

男：はあ？ そんな人もいるんだね。

女：もう、私、怒るっていうか呆れちゃったんだよね。そしたらその人、どんどんヒートアップしちゃって、立ち上がってどなりだしたんだよね。相手は男性だったし、怖くてさ。どうしようって思って、店長のことちらって見たの。そしたら、目、そらしちゃって何もしてくれなかったんだよ。信じられる？ 普通、そこは間に入るもんじゃないの？ もう、その瞬間、すっごく頭にきちゃって。とりあえず、そのお客さんには「失礼しました」って謝って、その場は収まったんだけど。もう、何なの？ その人もその人だけどさ……。もう許せなくて。帰る時店長に、「あの時大丈夫だった？」とか言われたけど、すごく冷たい返事しちゃった。

男：うわー、大変だったね。

女の人は、どうして怒っていると言っていますか。

6 N1-59 答え 2

会社で男の人と女の人が話しています。女の人は、これからどんな会社になってほしいと言っていますか。

男：来月から新しい社長に代わるって、社内誌に書いてあったの見た？

女：うん、見た見た。なんかすごいやり手らしいじゃん。

男：まあね、成果主義みたいだし、いい成績残せれば、一気に昇進も夢じゃないかな。僕はそのほうがいいし、みんなが互いに競い合って、いい会社になっていく、っていうのが理想かな。でも上のほうの人たちにとっては、やっかいなのかも。人員整理するって噂だし。今まで大した成果がなかったのに、勤続年数が長いからって部長クラスにいる人たちは首切られるかもって、ひやひやしてるみたいだよ。

女：そういう人たちにも家族がいるわけだし、手放しでリストラ賛成、とまでは思わないけど、自分の能力が正しく評価される会社になるのはいいよね。あとは、私は福利厚生とか社会保障とか見直してくれないかなって思ってる。社員が生き生きと仕事するためには、そこを充実させないとだめでしょう？ もっと遠慮せずに有給休暇とか、長期休暇とか取れるようになったらいいなって。特にこれから結婚とか出産、子育てとか考えるとさー。長く働き続けられる会社であってほしいよ。

男：ああ、そうだね。それに女性だけじゃなくて、男性も育休とか取りやすくなると、すごくいいと思うんだ。あとは風通しのいい会社になればいいかな。上司とか部下とか関係なく意見が言い合えるような環境になるといいよね。

女：でもそれはそれなりに達成されてるんじゃない？ 役員の人でも、すごく意見を聞いてくれるし。とにかく、新しい社長の手腕に期待だね。

女の人は、これからどんな会社になってほしいと言っていますか。

7 N1-60 答え 3

大学の「教育学基礎」の授業で先生が話しています。今日この後の講義のテーマは何ですか。

女：えーと、皆さん初めまして。この講義は、「教育学基礎」ということで、非常に幅広いテーマ設定になっています。次回からは、この教科書に沿って、「幼児教育」から始まり、最終的には「生涯学習」つまり、人が生涯を通じて行う学習についてもお話しして、子どもから大人まで、教育についての基礎を身に付けてもらおうと思っています。まあ、「教育とは何か」といった専門的な講義は来週から始めますので、その前に、ウォーミングアップとして、この初回の授業では「いい先生」の定義について考えていきたいと思います。この講義を取る人は、教員志望の人がほとんどだと思います。ここで学ぶ基礎知識というのは、教員採用試験でも多く問われます。ぜひ、しっかりと学んで、知識を自分のものにしてほしいと思います。

今日この後の講義のテーマは何ですか。

第9週　5日目

課題理解 Task-based comprehension　p.176

1 N1-61　答え　2

スーパーで女の店長と店員が話しています。店員はまず何をしますか。

女：本田さん、この段ボールどうしてここにあるの？

男：あっ、すみません。まだ商品を並べている途中で、終わったらまとめて処分しようかと……。すぐ片付けます。

女：あ、そうだったのね。じゃあこのままで大丈夫。それより、野菜売り場の準備なんだけど、全然進んでないみたいだから今すぐサポートに入ってくれないかな。

男：わかりました。でも主任にここが終わったら価格表のミスを訂正しておくように言われているんですが……。

女：それならさっき済ませたから大丈夫。陳列は私が引き継ぐから。今日は新装開店とあってもうお客様が外で並んでいるんだ。さっき言ったことが終わり次第、お客様の対応もお願いね。

男：はい、わかりました。

店員はまず何をしますか。

2 N1-62　答え　2

日本語学校で男の留学生と先生が話しています。男の留学生はこの後何をしますか。

男：先生、大学進学なんですが、いろいろ考えた結果、東南大学を受験しようと思うんですが……。

女：でも、第一希望は東山大学ではなかったですか。

男：ええ、最初はそう思ったんですが、東南大学には先輩もいらっしゃるし、この間その先輩にお会いして大学生活についてのお話を伺って、それで、いいなって思ったんです。

女：実際にキャンパスへは足を運んでみたんですか。

男：いえ、それは……。ホームページにあるオンラインキャンパスツアーというところは見てみました。

女：それだけで決めるのはちょっと勧められないですね。実際に自分の目で確かめて、それから疑問や不安に思ったことを先輩や先生にきちんと聞いて、自分のやりたいことと合うか見極めて決めてほしいです。

男：はい。決めたとはいえ、私も実際に見るべきだと思ったので、オンラインキャンパスツアーを見た後、来週の説明会の予約をしました。

女：それはいいですね。説明会では質疑応答もあるようなので、それまでに、もう少しパンフレットなり、ホームページなりを見て確かめたいことを書き出しておくといいですよ。

男：はい。そうします。

女：パンフレットは図書館の進学コーナーにあるから、自由に取っていいですよ。それから、見学した上で、さらに他の大学とどう違うのか、どうして東南大学を志望するのか考えてみるといいですね。もちろんそうする中で志望大学が変わっても構いませんから。

男：はい。わかりました。ありがとうございます。

男の留学生はこの後何をしますか。

3 N1-63　答え　1

会社で女の主任と男の人が美容液の新作発表会について話しています。男の人はこの後すぐ何をしますか。

女：お疲れ様です。ただいま戻りました。

男：お疲れ様です。新作発表会の初日、お客様の様子、いかがでしたか。

女：大盛況だったよ。明日は休日だということも相まって、もっと来るんじゃないかな。

男：そうですね。

女：それでなんだけど、お客様にお配りしている美容液のサンプル、この調子だと、明日にはなくなっちゃいそうで……。もう少し増やせるかな。

男：えーと、１日500個という計算で、３日間で1500ほど準備していたんですが。

女：そっか。もう500あれば、あさっての最終日まで持つと思うんだけど、倉庫から出しておいてくれる？

男：倉庫には200個しか残っていませんが、各支店から分けてもらいましょうか。

女：そうだね。じゃ、さくらデパート店と駅前店に電話して、今日の夕方取りに行くって伝えておいてくれるかな。午後の会議が終わり次第、行くから。

男：私が行きましょうか。

女：打ち合わせと今日の報告がてら、私が。

男：わかりました。ではその旨伝えておきます。

女：倉庫の物は明日、朝一番に会場に届けてくれる？

男：はい。じゃ、今晩家へ持って帰って、明日直接会場に行きます。

女：お願い。

男の人はこの後すぐ何をしますか。

4 ♪ **N1-64　答え　3**

学校で男の先生と女の先生が話しています。男の先生はまず何をしますか。

男：太田先生、会場の準備が終わりました。

女：早いですね。配置図の通りにいすを並べて、進行表をその上に置いてくれましたか。

男：はい、いすは並べました。でも進行表はまだです。すみません、すぐにやります。

女：ちょっと待ってください。その前に、スピーチをする学生たちの控え室の鍵を開けておいてください。そろそろ来る頃ですから。

男：はい。

女：その後撮影に使うビデオを教務室から持ってきてセットするように、井上先生に伝えてください。

男：わかりました。コンテスト優秀者への景品などは運ばなくてもいいでしょうか？

女：それは参加者全員のスピーチが終わって審査している間にすることになっているから、大丈夫です。会場のセットが終わったら音響関係のチェックも忘れないでくださいね。

男：はい、わかりました。

男の先生はまず何をしますか。

5 ♪ **N1-65　答え　1**

病院で男の事務員と医者が話しています。男の事務員は母親の件に関して、まずどう対処しますか。

男：木村先生、ちょっといいですか。

女：あ、田中さん、お疲れ様です。どうかされたんですか。

男：木村先生は認知症がご専門ですよね。実は母のことでご相談したいのですが。

女：お母様がどうかなさったんですか。

男：ええ、最近、食欲もなく、一日中ぼーっとしていることもあって、様子が変なんです。年も年ですから、認知症も疑っているのですが、どう対処したらいいかと思いまして……。

女：お母様っておいくつですか。

男：来月で70になります。

女：そうですか。認知症が疑われる年齢ですが、老人性うつという場合もありますよ。最近、環境が変わったとかありますか。生きがいが奪われると、発症したりもしますよ。まずは、お母様の様子を注視してみてください。

男：実は、去年父が他界して、共通の趣味だった旅行や庭いじりもやめちゃって。

女：そうですか。老人性うつの場合は、活力を取り戻せるような環境を整えてあげると、症状が緩和したりしますよ。認知症の場合は進行が遅くて変化に気づきにくいんですが、老人性うつの場合はめまい、頭痛、意欲低下など、複数の症状が短期間で現れるので、そういった場合は心療内科にお連れして、専門家の指導を受けるといいですよ。心療内科では認知症の検査もできますし。まずはお母様との時間を作ってしばらく様子を見てみたほうがいいですね。

男：ありがとうございます。そうしてみます。

男の事務員は母親の件に関して、まずどう対処しますか。

6 N1-66　答え　2

会社で男の社長と役員が話しています。役員は従業員に対して経費削減のために最初に何をしますか。

男：鈴木さん、報告書に目を通したけど、ちょっと経費がかかりすぎていると思わないか。人件費はさておき、この消耗品費だけど、もう少しどうにかならないのかな？　内訳はどうなっているんだ？

女：はい、主に日用品代やコピー代などです。

男：それなら、早急に全社員に対して、コピーは極力取らないように、メールで済むものはメールで行う、という意識付けを徹底させる必要があるな。まずは無駄をなくすことから始めてくれ。

女：はい。

男：交際費は一人当たりの上限を設けただけあって随分と抑えられたな。出張費も出張自体が去年より減っているし問題ないだろう。

女：教育研修費も見直したほうがいいでしょうか。

男：いいや、知識を得るためにセミナーに参加したりすることは、むしろ推奨したいぐらいだよ。それからこの通信費だけど、来月までに契約を見直して、今よりいい条件のがないか調べておいて。

女：はい。

男：じゃさっき言ったことしっかり頼んだよ。

女：はい、わかりました。

役員は従業員に対して経費削減のために最初に何をしますか。

ポイント理解 Point comprehension p.177

1 N1-67　答え　2

専門学校の先生が話しています。先生は定期試験で何の問題が出ると言っていますか。

女：近年、景気の悪化により、企業経営についての知識を持つ専門家の需要が高まっています。皆さんも社会に出て、すぐに活躍できるように、しっかりと勉強する必要があります。では定期試験の内容について説明します。今学期は企業と法務について勉強をしてきました。企業経営や組織論についてはレポートなどを提出してもらいましたので試験では扱わず、法務の知的財産権の部分を中心に出す予定です。この試験ではノートの持ち込みは認めませんのでしっかり復習しておいてください。来期は経営戦略やサービスマネージメントについて勉強する予定です。

先生は定期試験で何の問題が出ると言っていますか。

2 N1-68　答え　4

喫茶店で先輩と女の人が話しています。先輩は退屈とは何だと言っていますか。

男：花田さん、どうしたの？　急に連絡もらって驚いたよ。

女：先輩に聞いてほしいことがありまして……。入社して間もない頃は、とにかく必死でした。朝起きてから寝るまで緊張しっぱなしで、早く仕事に慣れたいって一心で目の前の仕事をこなしていたんです。気が付けばもう５年経っていて。

男：うん。花田さんは新入社員の中でも頑張っていたよね。あれから５年か。今じゃ後輩から慕われる頼れる先輩だもんな。

女：ありがとうございます。でも最近なんだか刺激がないというか、毎日同じことの繰り返しのように思えて達成感が得られないんです……。あの頃の自分が羨ましいというかなんというか。現状に満足していないことはないんですが、あえて言うなら退屈を感じてしまっているんです。

男：はははは、そんなことで悩んでいたの？　幸せだな。そもそも退屈なんてものは現状に適応しているから感じることだろう？　退屈とは不安がないから感じることができるんだよ。つまり安定の証拠だよ。

女：え？　ずっと怠けているような気がして罪悪感すら覚えていましたが。

男：不安を感じたくないから適応しようと頑張る。適応したら退屈を感じる。みんなその繰り返しだと思うよ。退屈イコール怠慢じゃないよ。

僕は退屈を感じると、「現状に満足するな！　次のステージに行け！　新しい挑戦をしてみろ！」って自分に言われているような気になるんだ。花田さんも本当は今、何かやってみたいことがあるんじゃないの？

女：ええ……。確かに言われてみれば……。なんだかスッキリしました。ありがとうございます。

先輩は退屈とは何だと言っていますか。

3 ♪ **N1-69**　答え　2

ラジオで、アナウンサーと男の教育学者が話しています。男の教育学者は相談者の子どもを本好きにするために、どうすればいいと言っていますか。

女：では、次のおはがきです。「うちの子はテレビやインターネットばかりに夢中で、本を読むということを嫌がります。国語の成績もあまりよくなく、本を読みなさいと言っているんですが、言うことを聞きません。どうしたら、本好きにすることができますか。田辺先生、いい方法があったら教えてください」というペンネーム本の虫さんからいただきました。田辺先生、何かいい案がありますか。

男：この方のお子さんはまだ６歳ですよね。６歳ですと文字から情報をうまく処理する能力がまだ低いということが考えられます。そういった場合は「読み聞かせ」をおすすめします。親の声を聞きながら目で字を追うだけで、内容の理解度が増します。本のおもしろさに気付くと自然と自ら読むようになります。ただ10歳ぐらいになると反抗期を迎えるので、親の勧めるものにただただ反発することがあります。その場合は、子どもが目に付くところに置く程度にして、無理に読ませないほうがいいです。それまでに本のおもしろさを知れば、おのずと落ち着いてくるものですから。

女：田辺先生、ありがとうございました。本の虫さん、ぜひ試してみてください。

男の教育学者は相談者の子どもを本好きにするために、どうすればいいと言っていますか。

4 ♪ **N1-70**　答え　4

会社で、男の先輩と後輩が話しています。男の先輩は、後輩のどういうところを心配していますか。

男：小野さん、お疲れ様。

女：あ、近藤さん。お疲れ様です。

男：どう？　入社してしばらくたったけど、少しずつ仕事には慣れた？　小野さん、すごく覚えが早くて、作業も効率よくこなしてくれるから、すごく助かってるって、チームリーダーから聞いてるよ。

女：ありがとうございます。皆さん、とても丁寧に教えてくださいますし、先輩方の指示も明確で、今自分が何をすべきか、というのがはっきりわかってとても働きやすいです。

男：そう。確かに、指示を受けて、その通りに動けるっていうのはすばらしいことだと思うけど、抱え込むのはほどほどにね。まだ新入社員なんだし、たまにはそれに甘えてもいいんだよ。

女：はい。

男：まあ、上昇志向が強い小野さんとしては、1年目からバリバリ働きたいってところなんだろうけど、これから先ずっと全力疾走し続けるのって大変だから、たまには力を抜くことも大切だよ。グループのみんなも期待しているからこそ、心配してるんだから。

女：あ、はい。お気遣いいただき、ありがとうございます。今後気を付けます。

男の先輩は、後輩のどういうところを心配していますか。

5 ♪ **N1-71**　答え　3

テレビの通販番組で女のアナウンサーと販売員が話しています。このフィルムを使うと虫が集まらなくなるのはどうしてですか。

女：最近、暑くて部屋の窓を開けることが多いのですが、夜電気をつけると、虫が寄ってくるんです。

男：あー、それは煩わしいですね。

女：そうなんです。これ、どうにかなりませんか？

男：そんな時は、この虫よけフィルム「虫バリア」をお使いください！ 蛾やハエをはじめとする虫たちは光の刺激に反応して移動する走行性を持っているんです。そして光に向かって集まる多くの虫は、紫外線を察知しているんです。そこで、紫外線をカットするこのフィルムの出番。これを取り付けるだけで、虫が来なくなるんです。私たちには煌々と光って見えていても、虫には真っ暗に見えるようになるんです。これまでは窓ガラスに貼るタイプしかなかったんですが、ついに蛍光灯に取り付けるタイプが出ました。ご家庭でも簡単に取り付けられます。これからの暑い季節、窓を開けてベランダで一杯っていうのも、虫を心配することなく楽しめますよ。

女：それはいいですね。お値段が気になるところですが。

男：それが、今なら半額！ この機会にぜひいかがでしょうか。

このフィルムを使うと虫が集まらなくなるのはどうしてですか。

6 ♪N1-72　答え　1

テレビで女の専門家とアナウンサーが話しています。女の専門家はなぜ笑顔は人をリラックスさせると言っていますか。

女：以前から笑顔には様々な効果があると言われています。例えば、敵意がないことを相手に示すためや、話しやすい環境を整えるために、人は意識的に笑顔を見せます。またその場にいる人の緊張を和らげたり、安心させたりすることにも効果的です。

男：そうですね。私もよく、雰囲気を和らげようと笑顔を作ることがあります。では、なぜ笑顔は人をリラックスさせることができるのでしょうか。

女：それは脳が笑顔を報酬として認識する一面があるからです。自分の行いによって相手が見せる笑顔であっても、自分が作る笑顔であっても、脳は報酬として受け止めます。そのため笑顔になることや、笑顔を見ることで、脳は非常に心地よい状態となり緊張が和らぐのではないかと考えられているのです。

男：そうなんですね。自分の笑顔が誰かのご褒美になっているかもしれないと考えるとなんだか嬉しいような恥ずかしいような気もしますね。

女の専門家はなぜ笑顔は人をリラックスさせると言っていますか。

7 ♪N1-73　答え　3

旅館で男の社長が話しています。社長はどうして旅館を閉めると言っていますか。

男：今日は大事なお知らせがあります。この花山旅館は、皆さんもご存知の通り、創業300年にもなる歴史ある旅館です。これほどまでに長く続けることができたのは、従業員の皆さんによる努力とお客様の支えがあったからにほかなりません。心配の種であった後継者も無事に育ち、台風被害からもようやく立ち直り、客足も徐々に戻りつつある時に、このような報告をしなければならないのは痛恨の極みであります。ご存知の通り、この中山町は再開発対象地域に指定され、旅館の移転が余儀なくされました。従業員の皆さんや住民の皆さんには、開発反対運動などに参加いただき、ご支援を賜りましたが、決定を覆すには至りませんでした。突然移転と言われましても、この風景や歴史あっての花山旅館です。経営者一同、度重なる会議の末、閉館する道を選びました。これまで尽くしてくださった従業員の皆さんの再就職先などはこちらで責任を持って紹介いたします。残り2年になりますが最後の日までどうぞよろしくお願いします。

社長はどうして旅館を閉めると言っていますか。

第10週　1日目

概要理解 Summary comprehension　p.178

1 N1-74　答え　4

テレビで専門家が話しています。

男：１分は60秒、１日は24時間、これは日によって変わることではありません。しかし、時間が経つのが早いと感じたり、遅いと感じたりすることはありませんか。もちろん集中をしていたり、忙しかったりすると時間の経過は早く感じるものです。しかし意外なことに、目に入ってくる色によっても時間の経過の感じ方に違いが出るようなのです。例えば、青や白などの寒色系の光の中では実際の時間より短く感じ、赤や黄色などの暖色系の光の中では実際の時間より長く感じるという実験結果もあるのです。これは、寒色系の色には人を落ち着かせる鎮静作用があり、暖色系の色には興奮度を高める作用があるからだと言われています。

専門家は主に何について話していますか。

1　集中力と時間経過の感覚
2　光の強さと時間経過の関係
3　落ち着いたり興奮したりする色の実験結果
4　色が及ぼす心理的影響

2 N1-75　答え　3

男の専門家が話しています。

男：スモールトークとは、たまたま会った人と軽く会話を交わすことです。エレベーターに乗り合わせたご近所さん、会社のパーティーで会った隣の部署の人、そんな相手と、どんな話をすればいいのか、困ってしまうという人も多いかもしれません。しかし、そんなに肩の力を入れる必要はありません。天気のような凡庸なトピックでいいのです。おもしろいことを言おうとすると緊張してしまいますから。とはいえ、誰彼構わず、天気の話ばかりしているわけにはいきませんね。そんな時は相手の話をしてもらえるように仕向けましょう。趣味を聞いてみてください。誰だって自分が情熱を傾けていることならば、いくらでも話せるでしょう。それに、自分の話に興味を持ってくれる人に対して、人は好感を持つものです。スモールトークの目的は、相手とのいい関係を築くことです。難しく考えず、話しかけてみましょう。

男の専門家は主に何について話していますか。

1　スモールトークが人間関係に与える効果
2　スモールトークが難しい理由
3　スモールトークの内容の選び方
4　スモールトークが人を喜ばせる仕組み

3 N1-76　答え　4

ラジオで俳優が話しています。

男：先日友人と海に行ってきました。といっても、遊びに行ったわけではありません。実は毎年、友人と海のごみ拾いのボランティアに参加しているんです。今年は去年にもましてごみが多く、何とも言えない悲しい気持ちになってしまいました。最近は環境や海洋生物保護への関心も高まり、プラスチック製品の制限など様々な対策も取られてきているとは思いますが、依然として改善されていないように感じます。私は大好きな海が美しい姿を取り戻せるように、これからもできることをしていきたいと思っています。

俳優は主に何について話していますか。

1　休日の過ごし方
2　ボランティアに参加する意義
3　ごみの分別に対する意識調査
4　環境保護に対する自身の取り組み

4 N1-77　答え　3

テレビでレポーターが話しています。

女：最近、気軽に参加できることからバスツアーの人気が高まっています。今日は、その人気の高まりを受けて登場した最新のバスをご紹介いたします。こちらのバスはゆったり座れるように座席のサイズが従来のものより約５センチも大きくなっています。そして、車内では無料でＷｉ-Ｆｉが使えるように無線ＬＡＮが設置されています。ＤＶＤやＣＤなども利用できるとあって、こちらのバスを使ったツアーはなかなか予約ができないそうです。また、化粧室も広々としており、赤ちゃん連れのお母さんたちにも大変人気があるそうです。希望すれば無料でスリッパ、ブランケット、傘の貸し出し、おしぼりやコーヒーなどの提供もあるそうです。このバスは、もはや動くリビングルームと言えるのではないでしょうか。

レポーターは主に何について話していますか。

1　人気があるバスツアーの内容
2　路線バスで受けられるサービス
3　ツアーの需要が増し、改良されたバスの設備
4　バス利用者が増加している理由

5　N1-78　答え　3

テレビで専門家が話しています。

男：数年前に外国で興味深い実験が行われました。それは、人間が一度排除した野生動物を元の環境に戻すというものです。人間が、ある特定の種を排除したことが原因で、その土地の生態系が崩れてしまったからです。一度排除した野生動物を再び戻すことにより、その土地の動植物が蘇りました。自然界においては全ての命に役割があり、相互依存しているのです。私たちはこのことを踏まえて環境を守っていかなければならないのです。

専門家は何について話していますか。

1　ある特定の野生動物を排除した理由
2　野生動物と人間の共存方法
3　野生動物が及ぼす環境への影響
4　ある野生動物の絶滅を防ぐ取り組み

6　N1-79　答え　2

テレビで専門家が話しています。

男：長寿国として知られている我が国日本ですが、最近では人生100年時代という表現がよく使われるようになってきました。寿命が延びるのはいいことではありますが、その分生活費もかかるわけです。100歳まで生きると仮定した場合、年金を受給していたとしても老後の生活を送るためには、それ以外に一人当たり約2000万円のお金が必要になると言われています。一体どれだけの人がそれほどのお金を貯金できるというのでしょうか。このような問題が解決できなければ、老後に不安を感じる人がますます増えていくものと思われます。

専門家は何について話していますか。

1　日本の平均寿命が長い理由
2　寿命が延びることによる今後の問題点
3　老後の生活に必要なお金の貯め方
4　老後の不安をなくすためにするべきこと

第10週　2日目

概要理解 Summary comprehension　p.179

1　N1-80　答え　3

レポーターがニュースの番組の特集で話しています。

女：今回私は都内の子ども食堂を取材しました。子ども食堂は、ある八百屋の店主が十分な食事がとれていない子どもたちのために食堂を作ったことがきっかけで始まり、今では全国に3700以上あるそうです。ご存じの通り、それらの多くは地域住民の有志で運営されているのですが、温かい食事をみんなで囲んで食べられるメリットもあり、共働きが増え一人で食事をとらなければならなかったお子さんやその保護者からも大変好評を得ています。一方で、運営する側はスタッフや会場、運営費の確保など多くの課題を抱えています。この温かい活動が続けられるよう、政府の協力を期待したいとのことです。

レポーターは何について話していますか。

1　子ども食堂の理念
2　子ども食堂の数の推移
3　子ども食堂の現状
4　子ども食堂への政治的関与

2 N1-81　答え　4

ラジオで医者が話しています。

女：時差ボケとは「時差を超えた移動に伴う身体的不調のこと」で、具体的には夜眠れなくなることや日中に強く感じる眠気、疲労感、食欲不振などの症状が現れます。時差ボケは西へ移動するより東へ向かうほうが強く現れる傾向にあります。また、高齢者も症状が出やすいと言われています。解消方法としては、現地時間で過ごすのが最も効果的だとされています。例えば現地に朝到着した場合は、日本が夜の時間で眠気を感じても現地時間の夜まで待って就寝するといいです。そして、翌日朝日を浴びることで体はリセットされると言われています。なお、重く辛い場合は薬で症状を軽くすることも可能です。

医者は主に何について話していますか。

1　高齢者にとっての時差ボケの危険性
2　時差ボケの症状を抑える薬の開発
3　時差ボケを起こしにくい旅行先の選び方
4　時差ボケを解消する方法

3 N1-82　答え　1

テレビでコメンテーターが話しています。

女：近年、海に捨てられるプラスチックごみが海洋生物に与える影響が問題視されています。鼻にストローが刺さったウミガメの映像は記憶に新しく、世界中でプラスチックストロー廃止の動きが加速しています。日本では2020年7月1日より全国の小売店において、プラスチック製レジ袋の有料化が義務付けられました。何かしらのアクションを起こすことは大事なことだとは思いますが、果たしてレジ袋有料化はどれほどの効果を示すのでしょうか。そもそも全海洋プラスチックごみのうちレジ袋が占める割合はわずか0.3%です。有料化したところでごみを捨てる人の意識が変わらなければこの政策は無意味だと私は思います。

コメンテーターはレジ袋の有料化についてどう思っていますか。

1　対策を講じることはいいことだが、今回の政策には疑問が残る。
2　政府がレジ袋を有料化したきっかけが不透明である。
3　プラスチックごみを減らすための政府の方策は効果的だ。
4　海洋生物の保護に関する世論に変化がみられるので期待できる。

4 N1-83　答え　4

ラジオで女の人が話しています。

女：八ツ山動物公園からお知らせです。8月のナイトツアーでは、夜の生き物の姿がわかると大変好評をいただきました。9月は例年同様、展示場前での飼育員によるトークショーを開催します。今年のテーマは「飼育員しか知らない八ツ山動物公園の仲間たち」で、各週末シリーズで開催します。一週目はキリン。去年は種に共通する生態についてでしたが、今年は同じ種の動物でもそれぞれ個性があることに注目し、個々の性格や飼育の裏話といった飼育員ならではのトークを繰り広げます。まもなく開催。お楽しみに。

女の人は何について知らせていますか。

1　ナイトツアーが好評のため期間が延長されるというお知らせ
2　定期的に展示場の前で飼育員に質問ができるようになるというお知らせ
3　飼育が困難なキリンが無事に育ったので見に来てほしいというお知らせ
4　終了イベントと今後のイベントの内容とスケジュールのお知らせ

5 N1-84　答え　1

電気屋の展示販売で店員がお客さんに話しています。

男：エアコンだけで夏を乗り切ることも可能ではあるんですが、エアコンだと風が当たる部分だけが冷やされるので、部屋全体を涼しくしようとすると、どうしても設定温度を下げがちになってしまうんです。結果として電気代が高くなってしまうんですよね。そこで扇風機の出番なんですよ。これがいい仕事をするんです。扇風機の首振り機能を設定した上で、エアコンの吹き出し口に向けて稼働させると、涼しい空気がまんべんなく広がるという仕組みです。すると、エアコンを28度に設定したとしても涼しく感じることができるんです。となると節電効果が狙えるということは言うまでもありませんよね。扇風機、1台いかがですか。

店員は何について話していますか。

1　エアコンと扇風機の効果的な使い方
2　エアコンに勝る扇風機の利点
3　エアコンと扇風機の用途の違い
4　エアコンと扇風機の節電効果の差

6　N1-85　答え　4

耳鼻科の医者が話しています。

男：花粉症とは体の免疫システムが花粉に過剰に反応して、鼻水、くしゃみといったアレルギー反応を起こすことです。日本における花粉症の原因は杉によるものが主で、ピークは2月から4月です。患者さんのほとんどはご本人が花粉症以外のアレルギーを持っていたり、ご家族に何らかのアレルギー疾患のある方がいらっしゃったりします。花粉症は各人の許容量を超えて花粉にさらされると発症してしまいます。いわば体内に花粉を入れるコップを持っているようなものです。自分の花粉のコップが満杯になり、溢れると発症してしまうのです。つまり誰でもなり得るし、各々のコップのサイズによって、発症リスクが違うということが言えます。

医者は何について話していますか。

1　日本における花粉症の原因とその予防方法
2　花粉症を含むあらゆるアレルギーが発生する仕組み
3　花粉症の原因と今後の患者数を減らすための対策
4　花粉症になりやすい人の特徴とアレルギー反応が出る仕組み

第10週　3日目

概要理解 Summary comprehension p.180

1　N1-86　答え　1

女の教授が話しています。

女：世界中に笑いが健康にいいという意味の諺があります。私が確認しただけでも、ドイツやイタリア、そしてインドなど、様々な国に存在しています。また、研究の結果、実際に笑いが心身ともにいい影響を与えるということが明らかになっています。笑うと脳からエンドルフィンというホルモンが放出され、それが憂鬱な気分を追い払い、免疫機能を高めてくれるのです。その上、笑うと全身で300の筋肉が使われ、血液循環も改善します。こんなにいい運動があるでしょうか。ところで、子どもは一日最大400回笑うと言われている一方、大人は一日平均15回しか笑いません。もったいないと思いませんか。本当の笑いではなくても、健康にいい効果があると言われています。笑顔を作って、笑い声を出しているうちに、体が笑っていると勘違いするそうです。

女の教授は主に何について話していますか。

1　笑いがもたらす健康への影響
2　世界における笑いの効果の調査結果
3　笑いで高めることができる能力
4　笑いに関する年齢的な差異

2　N1-87　答え　1

動物園でレポーターが話しています。

女：ここ、上田動物園では動物たちがのびのび暮らせるように様々な工夫がされています。飼育員たちが動物本来の習性を研究し、個々の動物に合わせて展示方法や餌のやり方を変えたことで、元気がなかった動物たちが生き生きしてきたと言われています。動物園の動物は檻に入っている生きた標本ではないという考え方や、幸せな住環境で生きる権利があるという動物福祉の考え方が広まりつつあります。動物たちがこれからも幸せに暮らせるように生活環境を整えることが今後の課題になっていくと思われます。

レポーターは主に何について話していますか。

1　動物園における動物の住環境改善への取り組み
2　飼育員が動物の習性を学び、動物を治療したこと
3　飼育員との関係が動物に及ぼすストレス
4　動物の展示方法に対する社会の考え方の変化

3　N1-88　答え　4

講演会で女の人が話しています。

女：私どもの会社では、雑誌を発行し、その販売の仕事を路上生活者の方に独占的にお願いすることで、彼らが自立するチャンスを提供しています。路上生活者の方に対する支援としては、食べ物の炊き出し、無償での医療の提供、見回りなどもありますが、そのような一方的な支援ではなく、弊社では路上生活者の方をビジネスパートナーとすることで、社会復帰のお手伝いをしております。路上生活者の方にとっては、住所不定、保証人の不在などが理由で、アルバイトを始めることすら難しいのが現状です。また就労経験が少ないために、働く習慣が身に付いていない方もいらっしゃいます。一緒に働く中で経験を積み、購入してくださるお客様の笑顔に接することを通して、社会への帰属意識や自分でもできるという自信を育んでいただいています。

女の人は何について話していますか。

1　路上生活者が抱える問題
2　一方的な支援の無意味さ
3　働く喜びの大切さ
4　自分の会社の社会的意義

4　N1-89　答え　2

男の人がインタビューに答えています。

男：18歳未満の子どもに対して、ゲームの制限時間を設けるよう求める条例ですか。最近話題になっていますよね。確かに長時間のゲームは、子どもの健康に悪影響があるでしょう。私自身、ゲームのやりすぎで目が悪くなってしまいましたし、子どもの時も宿題をせずにゲームをしていて、母親に怒られたものです。家庭任せにせず、自治体全体として、ゲームのやりすぎに問題意識を持っているというのは立派だと思います。しかし、ゲームの制限時間を条例で定めるということには、違和感があります。条例の制定は子どものゲーム依存を防ぐためだと聞きましたが、それは逆効果ではないでしょうか。人間、禁止されると、ついやりたくなってしまうものです。それに、ルールだからゲームをしないという考え方では、自制心を育てることはできません。18歳になったとたん、もう制限がないからという理由で、堰を切ったようにゲームをやり始めてしまうのではないでしょうか。

男の人はゲームの制限時間に関する条例について、どのように考えていますか。

1　子どもの学力向上に効果がある。
2　子どもの自制心を育てる上では逆効果だ。
3　各家庭ではなく、自治体全体でルールを設けるべきだ。
4　ゲーム依存を防ぎ、子どもの健康促進につながる。

5　N1-90　答え　2

講演会で女の人が話しています。

女：想像してください。お客様があなたのレストランにいらっしゃいました。あなたは注文された食事をお出しします。さて、最初にお客様が手にするのはナイフとフォークでしょうか。それとも、写真を撮るためのスマホでしょうか。今の若い人たちは、食べ物をその場で舌で味わうだけではなくて、写真を撮って家族や友達に送ったり、ブログに投稿したりと、新しい楽しみ方をしています。クオリティの

低い写真を撮られて、店の評判が下がることを不安視する店もありますが、今後生き延びていく店とは、新しい風潮を敏感にとらえて、自分の利益になるように生かせる店ではないでしょうか。事実、写真映えするメニューを用意したり、店のインテリアに力を入れるなどして、写真の共有を促す工夫をして、成功を収めている店が最近増えています。

女の人は何について話していますか。

1　最近の若い人の嘆かわしい行動
2　時代に合った飲食店経営
3　食事をおいしく見せる写真の撮影方法
4　店の評判を左右する利用客の態度

6　N1-91　答え　4

ラジオで男の人が話しています。

男：最近、僕考えているんですが、こんな時代だからこそ、あくせくせずに大人が人生を楽しむことが必要だと思うんですよ。殺伐とした世の中だ、このままでは未来は暗いなどとニュースや新聞では毎日のように言っていますし、そんなことばかり言われていると、私たちはどうにかして貯金を増やそうとか、リスクをとるのを回避しようとかいった考えにばかり傾いてしまいます。でも、子どもは親世代の背中を見て育ちます。冒険できない子どもたちは、枠にはまった考え方しかできなくなります。明るい未来への突破口になるような革新を起こせる人を育てるためには、大人が率先して、自分のやりたいことを実現していく姿を見せていくといいのではないでしょうか。

男の人が言いたいことは何ですか。

1　最近の子どもは将来を楽観視しすぎている。
2　明るい未来のために、今の大人は努力を続けていくべきだ。
3　大人は子どもの将来を心配しすぎて、自分のやりたいことができていない。
4　子どもにいい影響を与えるために、大人が態度を改めるべきだ。

第10週　4日目

概要理解 Summary comprehension p.181

1　N1-92　答え　1

テレビでレポーターが話しています。

女：皆さんは、水耕栽培というのをご存じでしょうか。簡単に言えば、土を使わずに、水と液体肥料だけで作物を栽培することです。昨今、気候変動による強烈な台風の直撃や、日照時間の減少により、野菜が不作になり、値段が高騰するということが多くなっています。しかし、この栽培方法では、温度や湿度などが徹底的に管理され、自然環境による影響を受けることがありません。また、衛生的な環境で栽培できるので、害虫の被害もありません。それに、土を使わないので、土が根の成長を妨げることがなく、成長のスピードも早いのです。これが今、食糧危機をしのぐための方法として、世界中で注目されています。

レポーターは主に何について話していますか。

1　水耕栽培がもたらすメリット
2　近年の野菜の値段の高騰の原因
3　気候変動による異常気象
4　世界での食糧危機の実態

2　N1-93　答え　4

テレビで専門家が話しています。

男：日本は近年、超高齢化社会となり、孤独死の件数が増えてきています。特に首都圏では、自分の子どもや孫などと同居せずに、一人で暮らす高齢者が増えており、それに伴い、誰にも気付かれず、自宅で一人で亡くなっていたというケースが非常に多く報告されています。団地やアパートなどに暮らし、近くに住人がいながらも、発見が遅れるということもあるようです。日頃から周囲の人とのコミュニケーションが取れていれば、このようなことは減るでしょう。高齢者自身だけでなく、我々も普段から積極的にコミュニケーションを取り、最近外出が減ったなどのちょっとした異変に、いち早く気付けるようになることが、孤独死を防止する糸口になるのではないでしょうか。

専門家は主に何について話していますか。

1 孤独死が増えた理由
2 孤独死が増えている地域
3 孤独死が引き起こす問題
4 孤独死を防ぐ方法

3 N1-94 答え 2

大学の授業で先生が話しています。

女：この講義は「文章表現」について学んでいきます。大学に入ると、レポートを書く機会がとても増えます。これまでにレポートを書いたことがないという人はいないとは思いますが、苦手だと思っている人が非常に多いと感じています。それでこの講義を開講することにしたわけです。レポートというのは、ある程度書き方が決まっているのです。いくつかポイントがあるので、そのこつさえ飲み込んでしまえば、誰でも書けるようになります。まあ、そんなに身構えないで。社会に出てからも必要なスキルだから、今のうちにしっかりと身に付けておくといいと思います。

先生が主に伝えたいことは何ですか。

1 大学ではレポートを書く機会が増えること
2 レポートを書くことはそんなに難しくないということ
3 大学ではこれまでのレポートとは書き方が変わること
4 社会に出るとレポートを書くスキルが求められること

4 N1-95 答え 3

ラジオで女の人が話しています。

女：近年、日本では、「何十年に一度の大型台風」だとか、「経験したことのないような猛烈な雨」だとか、避難を余儀なくされる自然災害に襲われることが増えています。このようなことから、備えあれば憂いなしという言葉どおり、防災グッズの売れ行きが好調のようです。しかし、どうしても防災グッズはかさばるので、置き場に困っている方も多いんじゃないでしょうか。では、防災グッズの置き場所はどこがベストなのかと言うと、ずばり、理想は避難する時の動線上です。玄関や大きな窓のある部屋、ベランダのある部屋など、わざわざ取りに行かなくて済む場所に置いておけば、いざという時迅速に行動できます。適当な置き場所がないなら、せめて目立つ場所、わかりやすい場所に置くことが大切です。前もって準備してもその場所がわからなければ役に立たないと肝に銘じて、設置場所を選びましょう。

女の人は何について話していますか。

1 自然災害が増えている原因
2 防災グッズの売れ行き
3 防災グッズの保管場所
4 避難の際の行動の仕方

5 N1-96 答え 2

テレビでレポーターが話しています。

男：本日私は、とある植物園にお邪魔しています。植物園といえば、日本ではあまり見られない珍しい植物や、南国の色鮮やかな植物なんかを展示していて、とっても夢がある場所ですよね。ですが、今私がおりますこちらの植物園は、そのようなものが展示されていない、ちょっと変わった植物園なんです。なんとこちらでは、漢方医学や民間療法、現在の製薬に使われる植物などを栽培、展示しているんです。私たちの暮らしに欠かせない、薬のもとの姿を知ることができる植物園です。薬の原料だけでなく、綿をはじめとする人間の生活に役立つ植物や、染め物をしたり、香り付けをしたりするために用いられる植物も栽培されています。私たちが普段、いかに植物に頼って暮らしているのかがよくわかりますね。今月に限り、入園は無料となっています。ぜひお気軽に足をお運びください。

レポーターは何について話していますか。

1　この植物園を満喫する方法
2　この植物園にある植物の特徴
3　生活に役立つ植物の栽培方法
4　植物に依存する暮らしの現状

6　N1-97　答え　3

大学生向けの企業説明会で、男の人が話しています。

男：今日は、多くの学生さんにお集まりいただき、とても嬉しく思っています。弊社の事業は、主におもちゃの企画、製造、販売です。近年の急速な少子化の影響で、おもちゃの売り上げは年々減少しています。正直に申しますと、弊社もそのあおりを受けて、決して業績がいいとは言いきれない状況です。だからこそ、柔軟な発想を持った、若い力が必要なんです。私たちは、新しい提案や独創的なアイディアを持ち、既存の社員とまじりあうことで、いい化学反応を生み出せる、そんな人材を募集しています。もし、先ほどの話で将来に不安を感じたのなら、これから始まる選考を辞退していただいて結構です。逆境にあっても、一緒にそれを乗り越えていけるような、そんな方々に、今後の面接などで直接お話しできるのを楽しみにしております。

男の人は主に何について話していますか。

1　男の人の会社の事業
2　男の人の会社の業績
3　男の人の会社が求める人材
4　男の人の会社の採用面接

第10週　5日目

概要理解 Summary comprehension　p.182

1　N1-98　答え　2

テレビで専門家が話しています。

男：ストレスを多く感じている現代人は良質な睡眠がとれていないという報告がありました。これは精神状態と睡眠が大きく関わっていることを示しています。そこで、なかなか眠れないと悩んでいる方にぜひ試していただきたいことがあります。それは就寝前にお気に入りのものに触れるということです。音楽でも香りでも小物でも何でも構いません。気持ちをリセットできる何かに触れてみてください。そして、就寝前の食事内容にも注意が必要です。消化の悪いもの、脂っこいものは極力控え、体が温まるスープなどを意識してとるようにしてみてください。また基本的なことですが、環境の見直しも大切です。部屋を清潔に保つことはもとより、体に合わない枕などの使用は避けてください。きっと朝の目覚めが変化するはずです。

専門家は主に何について話していますか。

1　精神状態と睡眠の関係
2　よく眠るための方法
3　寝具の改善点
4　朝の体調の変化

2　N1-99　答え　2

テレビでレポーターが話しています。

男：先日、経営者として成功を収めている５人の方とお話をする機会がありました。彼らの幼少期の思い出から、経営者となるまでの経緯など、また経営者としての苦悩についてもお話を伺うことができました。特に共通点がないと思われていた５人でしたが、インタビューを続けていくうちに、ある共通点があることに気が付きました。それは、彼らが毎日その日の目標を声に出しているということです。また、何かに悩んだ時も声に出して自問自答するというのです。そして、人と話す時はできるだけ否定的な言葉は使わず、肯定的な言葉を意識して用いると、人は動いてくれるとのことでした。彼らは言葉の持つ力を信じているのです。普段私たちが気軽に使っている言葉には、いろいろな可能性があるのだと気付かされました。皆さんはどれだけ言葉を意識して生活していますか。

レポーターは何について話していますか。

1　経営者に共通する苦悩
2　言葉のもたらす効果

3　成功者の生活習慣
4　言葉と社員教育の関係

3　N1-100　答え　2

大学で言語学の教授が話しています。

男：早期英語教育、いわゆる未就学児あるいは小学校低学年からの英語教育について、賛否両論があるようですが、私は小学校入学前の未就学児のうちに始めるのが効果的だと思っています。母語ですらたどたどしい時期に始めたら、混乱して母語の習得に影響するのではないかという指摘もありますが、子どもの学習能力は非常に高いものです。また、ネイティブの発音を身に付けるのは早いに越したことはありません。ちなみに、早期教育を取り入れているオランダではそういった負のデータはありません。ただ、英語が中学校などの受験科目に採用されることには懸念があります。あくまでも私が勧めているのはコミュニケーションツールとしての英語であって、受験対策のための英語ではないということです。

教授は英語の早期教育についてどう思っていますか。

1　全面的に賛成している。
2　条件付きで賛成している。
3　小学生向けのものについては賛成している。
4　賛成しかねている。

4　N1-101　答え　4

ミーティングで男の人が話しています。

男：ボランティアの皆さん、本日はお集まりいただきありがとうございます。えー、では説明を始めます。まず、写真撮影についてですが、被災者のプライバシーに関わることですので固く禁止させていただいております。ただし、お子さんなどのほうから撮影を求められた場合は対応していただいても構いません。しかし、いずれにせよSNSなどへの投稿はなさらないでください。次に、救援物資ですが、それらはあくまでも被災者の物であるということを忘れないようにしてください。皆さんはご自身で寝床を確保し、救援物資には手を付けないでください。また、最も気を付けていただきたいことは被災者への声がけです。気安く「頑張れ」と声をかけたり、災害時の状況などを聞いたりする行為は慎んでください。被災者の皆さんは私たちの言葉に追い詰められてしまうこともあるのです。私たちの力が必要でなくなることが真の復興です。1日でも早くその日が訪れるように皆さんご協力ください。

男の人は主に何について話していますか。

1　被災地の子どもへの接し方
2　救援物資の配給状況
3　被災者の心のケア
4　被災地ボランティアの心構え

5　N1-102　答え　3

テレビで専門家が話しています。

男：販売員の仕事は店舗などで顧客に接客サービスの提供をすることです。顧客に商品の特徴などの情報を提供しながら、顧客のニーズや嗜好を探ります。顧客のニーズを踏まえ対応することで、質のいいサービスが提供でき、結果として顧客の満足度は高くなります。納得した買い物ができたと実感し、満足度の高かった店には顧客は再来店しますが、顧客満足度が低かった店には当然ながら顧客は再来店しないのです。接客サービスは店の評判につながり、売り上げにも大きな影響を及ぼします。ですから、販売員は商品に対する十分な知識を身に付け、身だしなみや敬語に気を付け、お客様の満足度を高めることが重要なのです。

専門家は主に何について話していますか。

1　販売員と顧客の関係
2　サービスと売り上げの関係
3　販売員の役割
4　顧客満足度

6 N1-103　答え　1

講演会で女の人が話しています。

女：若い頃、私はとても親しくしていた友人に裏切られたことがあります。その後、私は人間不信に陥り、人と話すことはおろか、家からも出られなくなってしまいました。そのうち彼女に何か仕返しをしてやりたいと考えるようになりました。しかしそんなことを考えて、鬱々とすることはあっても、心が救われることはありませんでした。とはいえ何事もなかったようには過ごせませんでした。そんな時、私は「一番の仕返しは、手の届かない存在になること」という言葉に出会いました。その一言で一歩踏み出す勇気が持てました。今の私が彼女にとって手の届かない存在であるかどうかはわかりませんが、私は今、数年前に立ち上げた会社の経営も順調で従業員や家族にも恵まれ満足しています。今日はそんな私の経験が、少しでも皆さんの勇気になればいいと思ってやって参りました。よろしくお願いします。

女の人は何について話していますか。

1　辛かった経験を克服できたきっかけ
2　人間不信に陥ってしまった時の生活
3　仕事で成功を収めるまでの道のり
4　人を許すことの難しさと必要性

第11週　1日目

即時応答 Quick response　p.183

1 N1-104　答え　2

女：ちょっとこれ、間違いにもほどがあるんじゃない？

男：1　本当だ。ほとんどないね。
　　2　よく確認したつもりだったんですが……。
　　3　それほど大変ではありませんでしたよ。

2 N1-105　答え　2

男：うちの子、レギュラーに選ばれなくて落ち込んでるんだ。

女：1　最近調子に乗ってるってよく聞くよ。
　　2　悔しい経験をしながらたくましくなっていくんだよ。
　　3　確実に図々しくなってるね。

3 N1-106　答え　3

女：祖父は祖母が入院してからというもの食欲がなくなってしまって。

男：1　それは大変だね。早く見つかるといいね。
　　2　病気が治るまでは、食べたくても我慢しないとね。
　　3　心配でしょうがないんでしょうね。

4 N1-107　答え　1

男：授業をサボってばかりいた幼馴染が、案の定、留年することになったんだよ。

女：1　真面目に出ていればよかったのにね。
　　2　へえ、本人の希望が通ってよかったね。
　　3　本当に？　それは予想外だったね。

5 N1-108　答え　2

男：そんな、帰れとばかりに冷たくするなよ。

女：1　そうだね。早く帰って温めよう。
　　2　だって私まだ許せないんだもん。
　　3　あれ？　冷やしすぎちゃったかな。

6 N1-109　答え　2

男：心配したけど、プレゼンはことのほかうまくいったよ。

女：1　よかったですね。で、何をあげたんですか。
　　2　お疲れ様でした。さすが大原先輩ですね。
　　3　すごい！　それ以外はうまくいったんですね。

7 N1-110　答え　1

女：社長は戻るなり役員を集めて、緊急会議を開いたそうですよ。

男：1　何かあったのかな。
　　2　社長の前じゃ話しにくいのかもね。
　　3　そんなに急いで帰っちゃったの？

8 N1-111　答え　3

女：ねぇ、服は洗濯機に入れてよ。脱ぎっぱなしにしないでくれないかな。

男：1　ごめんごめん、すぐ脱ぐよ。

　　2　悪かったよ。次はもっときれいに畳むからさ。

　　3　あっ！ 忘れてた。次から気を付けるよ。

9 N1-112　答え　1

男：今から面接なのにそんなに脅かさないでください。緊張してしまいますよ。

女：1　でも本当に店長は厳しい人だから。

　　2　私はそんなことじゃびっくりしないよ。

　　3　邪魔になるからどけておいたんだよ。

10 N1-113　答え　3

女：さぁ！ 早く取り掛かって。

男：1　もう取れかかってるの？

　　2　さっきまで取ってありましたよ。

　　3　はい、すぐ始めます！

11 N1-114　答え　1

男：さすがの部長もお客様の勢いに怯みそうになっていましたよ。

女：1　へえ、珍しいね。

　　2　けがしなくてよかったね。

　　3　そんなに危なっかしかったの？

12 N1-115　答え　3

男：うちの弟ときたら貯金もないのに、カードで買い物ばかりしているんだ。

女：1　お兄ちゃんと来たから甘えてたんじゃないの？

　　2　カードは一度集め始めると、きりがないもんね。

　　3　一度ちゃんと話してみたほうがいいんじゃない？

13 N1-116　答え　2

男：うちの家族はみんな、旅行が好きなんだ。母に至っては50か国行ったことがあるんだ。

女：1　それはちょっと忙しすぎるね。

　　2　へえ、すごいね。うらやましいな。

　　3　海外生活が長いんだね。

14 N1-117　答え　1

男：関さん、ああ見えてなかなか大胆なことをするよね。

女：1　本当に人は見かけによらないね。

　　2　あそこまで臆病だとは思わなかったね。

　　3　何やるのも大げさだからね。

第11週　2日目

即時応答 Quick response　p.184

1 N1-118　答え　3

男：目を通してみたけど、ずいぶんぞんざいな報告書だな。

女：1　ありがとうございます。

　　2　とんでもないです。

　　3　申し訳ございません。

2 N1-119　答え　1

女：坂口君、初めてのスピーチ、緊張しているんじゃない？

男：1　ええ、想像するだに、手が震えますよ。

　　2　ええ、わからないでもありません。

　　3　ええ、期待するまでもありません。

3 N1-120　答え　2

男：あんなに仕事を頼まれて、相当忙しいんじゃない？

女：1　うん、休むまでもないよ。

　　2　うん、昼休みすらろくに取れないんだ。

　　3　うん、忙しいわけじゃないよ。

4 N1-121　答え　1

女：あれ？ このコピー機、全然動かないけど故障かな？

男：1　そこにマニュアルがありますよ。

　　2　そこにシナリオがありますよ。

　　3　そこにサンプルがありますよ。

5 ♪ N1-122　答え　2

男：新入社員の石原さん、飲み込みが早いよね。

女：1　うん。この間も一気飲みしちゃって。

2　うん。期待の新人だよね。

3　うん。意見があればはっきり言ってほしいんだけど。

6 ♪ N1-123　答え　1

女：あの駐車場、狭かったけど、大丈夫だった？

男：1　うん、ちょっと手こずったけど。

2　うん、ちょっと迷ったけど。

3　うん、ちょっとさまよったけど。

7 ♪ N1-124　答え　3

女：彼はいつも冗談とも本音ともつかない発言ばかりなんです。

男：1　それは情け深いね。

2　それは頼もしいですね。

3　それは信頼しかねるね。

8 ♪ N1-125　答え　2

男：最近、天気がさえないね。

女：1　うん、ピクニック日和だね。

2　うん、心まで沈んじゃうね。

3　うん、心が弾むね。

9 ♪ N1-126　答え　3

女：海で溺れた子ども、助けたんだって？ 上田さんが、ヒーローみたいだったって言ってたよ。

男：1　大したもんだよ。

2　台無しだよ。

3　大げさだよ。

10 ♪ N1-127　答え　1

男：明日の運動会なんだけど、こんなに雨が降っているようでは……。

女：1　ええ、中止せざるを得ないでしょうね。

2　ええ、中止するほどではないですね。

3　ええ、明日はきっと大丈夫ですね。

11 ♪ N1-128　答え　2

男：僕のミスで契約破棄。お客様を怒らせちゃったよ。

女：1　それは部長に報告するどころじゃなかったね。

2　それは部長に報告しないでは済まされないよ。

3　それは部長に報告するには及ばないね。

12 ♪ N1-129　答え　1

男：最寄りの駅まで、ここからなら歩いて行けないものでもないけど、どうする？

女：1　じゃ、歩いて行こうか。

2　え、歩いちゃいけないの？

3　それはどうしようもないね。

13 ♪ N1-130　答え　1

男：えっ、この店、閉店するんですか。残念だな。

女：1　ええ、来週末をもって……。

2　ええ、週末とあって……。

3　ええ、週末に限って……。

14 ♪ N1-131　答え　2

男：子どものしたことなんだから、大目に見てあげたら。

女：1　子どもだから、少なめにしたんだけど……。

2　子どもであろうと、注意しないと。

3　子どもじゃあるまいし、だめなものはだめだよ。

第11週　3日目

即時応答 Quick response　p.185

1 ♪ N1-132　答え　1

男：伊藤課長って、仕事もできるし面倒見もいいよね。

女：1　いわゆる、理想の上司だよね。

2　本当に面倒だよね。

3　みんな慕っているのが不思議だよね。

2 ♪ N1-133　答え　3

女：学生時代、舞台俳優を目指してたんだって？

男：1　まあね、手先の器用さには自信があったから。

2　そんな、光栄だよ。
3　ははは……若気の至りだよ。

3　N1-134　答え　3

男：お客様に個人的な質問をする時には、もっと慎重にならなきゃ。
女：1　すみません。心細いです。
2　すみません。気兼ねなく伺います。
3　すみません。私が軽率でした。

4　N1-135　答え　2

女：プレゼンの予定、明日に早まったって聞いたけど、大丈夫？
男：1　助かった。まだ準備が終わってないんだ。
2　え、知らなかったよ！ 遊んでなんていられないや。
3　もちろん、安心して任せられるよ。

5　N1-136　答え　1

男：おっ！ 昨日より随分スキーが上達したね。その調子で頑張って。
女：1　はい、こつが掴めてきました。
2　おかげさまで、立ち直りました。
3　どうにか、手際よくできるようになりました。

6　N1-137　答え　3

女：昨日、見るともなしにテレビを見ていたんだけど、大好きな歌手が出てきたから嬉しくって。
男：1　よかったね。その番組、楽しみにしてたもんね。
2　ああ、僕がおすすめしたから見てくれたんだね。
3　偶然に？ それはよかったね。

7　N1-138　答え　1

男：彼女って、クラスで自分が一番美人だと言ってはばからないんだよ。
女：1　それはとっても厚かましいね。
2　そんなに謙遜しなくてもいいのにね。
3　なんだか恩着せがましくて嫌だなあ。

8　N1-139　答え　2

女：宿題、問題集を10ページやってくることだって。
男：1　ええ？ おびただしい数だね。
2　ああ、面倒くさいといったらないなあ……。
3　うーん、それは否めないな。

9　N1-140　答え　1

男：このレポート、簡潔にまとめられていますね。
女：1　はい、無駄がありませんね。
2　はい、わかりにくい部分がありますね。
3　はい、少し冗長ですね。

10　N1-141　答え　1

女：先ほどはありがとうございました。本当に助かりました。
男：1　当然のことをしたまでですよ。
2　そんな、考えるべくもありませんよ。
3　それには言及しないでください。

11　N1-142　答え　3

男：休暇はいかがでしたか。
女：1　すっかり甘やかしてしまいました。
2　とても速やかでした。
3　心から満喫しました。

12　N1-143　答え　2

女：私、彼女にだけは、負けたくないんだ。
男：1　プライドはどこにいったの？
2　昔からのライバルだもんね。
3　ピンチかもしれないね。

13　N1-144　答え　3

男：昨日、突然、部活の友達が家に押しかけてきたんだ。
女：1　遅刻してくるなんてひどいね。
2　友達がいがあるね。
3　それは迷惑だったね。

14 N1-145　答え　2

女：最近の若者は礼儀を知らないどころか、基本的な敬語も間違える始末なんですよ。

男：1　ややこしいねえ。

2　嘆かわしいねえ。

3　うっとうしいねえ。

第11週　4日目

即時応答 Quick response　p.186

1 N1-146　答え　2

男：いやあ、すごい景色だね。ここまで来たかいがあったよ。

女：1　せっかく、都合つけたのにね。

2　うん、来て大正解。

3　絶対見に行こうね。

2 N1-147　答え　1

女：ねえ、最近おじいちゃんの容体はどう？

男：1　うん、最近は落ち着いてる。

2　ああ、楽しんでるみたい。

3　え、何もしないよ。

3 N1-148　答え　3

男：なんだか、今日はいやにご機嫌だな。なんかあった？

女：1　うん、ちょっと嫌なことがあってね。

2　大丈夫、ちゃんと期限は守ったから。

3　さっき福引で商品券、当たったんだ。

4 N1-149　答え　1

女：すみません、この商品なんですが、取り寄せできますか。

男：1　はい、2、3日かかりますが。

2　ええ、下におろせばいいですか？

3　失礼しました。どけておきます。

5 N1-150　答え　3

女：学校が休みだからといって、一日中ゲームしていてもいいってもんじゃないでしょう？

男：1　うん、一緒にやろうよ。

2　そうだね、休みだからね。

3　わかってるよ、勉強もするよ。

6 N1-151　答え　1

男：合格発表を控えた今の心境は？

女：1　すごく緊張してるよ。

2　うん、残念だった。

3　まだ発表されてないよ。

7 N1-152　答え　2

男：このレストランの店員、どう思った？ 失礼極まりないよね。

女：1　そうだね、また二人で来よう。

2　本当に。もう二度と来たくないね。

3　さすがサービスを極めた人は違うよね。

8 N1-153　答え　3

女：今さら会いに行ったところで、彼女は許してくれないと思うよ。

男：1　えっ？ 待ち合わせ場所はここだよ。

2　へえー、許すなんて心が広いね。

3　そうだよね、やっぱり無理だよね。

9 N1-154　答え　2

男：自分からやると言った手前、責任もってやり遂げないと。

女：1　うん、お客様からの指名だったしね。

2　うん、そう言ったからには頑張らないとね。

3　うん、あんなに頼まれたら嫌とは言えないよね。

10 N1-155　答え　3

女：どんなに安かろうが、中古品には手を出さないつもりなんだ。

男：1　それならさっそく売りに行こうよ。

2　大丈夫だよ、明日から値下げされるから。

3　え、新品同然のもたくさんあるのに。

11 N1-156　答え　1

男：あれっ、なんかこのコップ、水が漏れてるよ。

女：1　あ、ここにひびが入ってる。

2　あ、ここにかけらが入ってる。

3　あ、ここにとげが入ってる。

12 N1-157 答え 3

男：部長、言ってることがあべこべなんだもん。

女：1 うん、ほんとわかりやすいよね。

2 もっと手短に言ってほしいよね。

3 昨日もつじつまが合わないこと言ってたよ。

13 N1-158 答え 1

男：あの人、サッカーで全国大会に出たことがあるらしいよ。

女：1 それにしては、下手じゃない？ 動きも鈍いし。

2 それにも関わらず、上手だね。あこがれちゃう。

3 それにひきかえ、彼は熱心だよね。

14 N1-159 答え 2

男：デスク回りを見るだけでも、森さんの几帳面さがよくわかるよね。

女：1 そうだね、質のいい文房具ばかりだね。

2 そうだね、きっちり整頓されてるもんね。

3 そうだね、資料も出しっぱなしだし。

第11週 5日目

即時応答 Quick response p.187

1 N1-160 答え 1

男：お問い合わせのメールに返事をしたら、お客様のご気分を害したようで……。

女：1 それじゃ、早く謝らないと。

2 お礼を言わないと。

3 お断りしたほうがいいよ。

2 N1-161 答え 1

男：先生のクラスのジョンさん、試験に向け、以前にもまして頑張っていますね。

女：1 ええ、感心しています。

2 ええ、相変わらずです。

3 ええ、今一つですね。

3 N1-162 答え 3

女：いかなる理由でも遅刻は認められません。

男：1 では、どんな理由ならいいですか。

2 すみません。その例外を教えてください。

3 わかりました。遅れないように気を付けます。

4 N1-163 答え 2

男：課長の返事がそっけなかったんだよ。

女：1 なかったならよかったじゃない。

2 あんまり興味がなかったんじゃないの？

3 本当？ 返事はさっきあったと思うけど。

5 N1-164 答え 2

女：あの二人っていつも話がかみ合ってないようだけど大丈夫なのかな？

男：1 うん、喧嘩してるところを一度も見たことがないよね。

2 うん、あれで結構うまくいってるみたいだよ。

3 うん、大丈夫かどうかは一度会ってみないとね。

6 N1-165 答え 1

男：校則に照らして彼が処分されたなら文句は言えないだろう。

女：1 そうだね、ちょっと厳しい気もするけど仕方がないね。

2 でも、眩しいからって勝手に捨てないでよ。

3 えっ？ 校則に文句言って処分されたの？

7 N1-166 答え 1

女：部長が話し続けてて、私たちは意見を言おうにも言えませんでしたよ。

男：1 そう。それはちょっと残念だったね。

2 さすが部長だね、決断力があるよ。

3 それじゃ部長も答えに困っちゃうよ。

8 N1-167 答え 3

男：先生、お忙しいところをすみませんが、これに目を通していただけませんか。

女：1 忙しくてもちゃんと確認ぐらいしてくださいね。

2 急いでいるから、目の前を通らせてくれる？

3 今すぐは難しいけど、明日まででよければ。

9 N1-168　答え　1

女：華やかな世界に憧れてこの業界に入りました。

男：1　確かに、きらきらしたイメージがありますよね。

2　確かに、じめじめしたイメージがありますよね。

3　確かに、つやつやしたイメージがありますよね。

10 N1-169　答え　2

女：もう上司から仕事のやり方についてとやかく言われたくなくて……。

男：1　そんなに急がせる人なの？

2　そんなに細かい人なの？

3　そんなにおおらかな人なの？

11 N1-170　答え　1

男：本当に彼女は虫がいいね。

女：1　ええ、調子がよすぎますよ。

2　ええ、中でもトンボが好きだそうですよ。

3　ええ、誰にでも親切ですよ。

12 N1-171　答え　2

女：彼は叱られることはあってもほめられることはないと思うよ。

男：1　それが、社長に注意されていたんですよ。

2　それが、社長から賞をもらっていたんですよ。

3　それが、社長を怒らせていたんですよ。

13 N1-172　答え　3

男：難しければこそ、やりがいがあるというものだよ。

女：1　利害があるとは思えません。

2　そんなものがあったんですね。

3　そうですけど本当に大変で……。

14 N1-173　答え　1

男：今年の入社式は異例ずくめだったらしいよ。

女：1　今年は例年通りできなかったんですね。

2　へえ、そんな場所があったんですね。

3　さすが、入社式だけありますね。

第12週　1日目

統合理解 Integrated comprehension　p.188

1 N1-174　答え　1

会社で男の人と女の人が話しています。

男：工藤さん、新入社員の研修会なんですが、今年は私が会場予約をすることになったんです。去年は工藤さんが担当されたと伺ったのでいろいろ相談させていただきたくて。基本的な進行は去年と同じでいいと言われています。参加人数もほとんど同じだそうです。

女：そうですか。去年は「スペースZ」という場所でしましたよ。会議室は広いし、パソコンや音響の設備も整っています。軽食のケータリングもできてなかなか好評でした。でも、ちょっとわかりづらい場所にあったので道に迷ってしまう人もいましたね。

男：そうですか。

女：それから、去年私が先輩に教えてもらった「貸し会議室 フリーフリー」もいいと思いますよ。去年は予約が取れなかったので使いませんでしたが、ここからも近いし。でも音響設備は少し古いって聞きましたよ。それに今からじゃもう取れないかもしれませんね……。あとは、駅の反対側に「レンタルスペース 森ノ宮」というのが最近できたはずですよ。駅から遠いけど無料の送迎バスがあるので道に迷うことはないと思います。ただ会議室は若干狭めだと聞いています。

男：いろいろあるんですね。

女：あっ、それと会社からは少し遠いし古いけど、新谷駅に「貸し会議室 空」もありますよ。ここは本社が移転する前まで研修に使われていた場所だそうですから、先輩たちには懐かしい場所だと思いますよ。研修を受けた場所で今度は自分が新人の研修をするというのもおもしろいかもしれませんね。

男：なるほど。確かにそれはおもしろそうですね。でもちょっと遠すぎますよね……。研修は設備が整っているに越したことはないと思うので……。迷わないようにわかりやすい地図なども用意して対応します。ありがとうございました。

男の人はどこを予約することにしましたか。

1　スペースZ
2　貸し会議室 フリーフリー
3　レンタルスペース 森ノ宮
4　貸し会議室 空

2　N1-175　答え　2

会社で上司と社員二人が話しています。

男　：最近、男性に限らず女性も日曜大工をする人が増えているのを知っているよね。実は我が社も女性にも使いやすい工具を売り出していきたいと考えているんだ。そこで女性の意見が聞きたいんだよ。

女1：はい。私は昔から物を作るのが好きで休みの日には棚やいすなどを作っています。それで、いつも不便に感じるのは工具の大きさです。女性は男性に比べて手が小さいので大きいと持ち上げるにも一苦労で長時間の使用は無理なんです。かといって軽ければいいのかというとそういうわけでもなくて。

男　：なるほど握りやすくするために持ち手部分を改良する必要があるんだね。とても参考になるよ。

女2：私は不器用なので自分で家具を作るなんて発想もありません。でも、工具がカラフルでかわいいものなら使ってみたいと思うかもしれません。

女1：確かに工具は実用性重視で見た目にはあまり差がありませんよね。従来のものは色も地味ですし。工具の見た目が変われば、それを見て物作りに興味を持つ女性も増えるかもしれませんね。

男　：なるほど、新しい客層も狙えるってことか。

女1：それと簡単に作れる家具作りのマニュアル本のようなものとセットになっていれば、何に使うものなのかもわかりやすいと思います。

男　：いいアイディアだと思うけど、マニュアルに関しては別企画になるな。予算も限られているし。

女2：では家具作り教室のようなイベントを開催して、実際に家具を作ってみせるのはどうでしょうか。

男　：それもいいアイディアだけど、商品ができてからだな。まずは商品開発に集中しないと。さっきの二人のアイディアを参考にさせてもらうよ。

上司は工具をどのように改良して販売しますか。

1　軽量化し、女性受けするデザインに変えて売り出す
2　持ち手部分を握りやすく改良し、色の種類を増やして売り出す
3　色の種類を増やし、マニュアル本とセットにして売り出す
4　重さを変えずに小型化し、家具作り教室で実演して売り出す

3　N1-176　答え　質問1：1　質問2：4

ラジオでアナウンサーがイベントについて話しています。

女1：今日は現在行われている都内のイベントを4つご紹介します。まずは、寄木公園のイベントです。食と文化をテーマにしたイベントが今年も行われています。世界各国の料理やダンスなどを楽しむことができるとあって毎年多くの人で賑わいます。そして城田公園。こちらでは環境問題をテーマに、園内とその周辺のごみ拾いをするイベントが行われています。拾ったごみを分別して、それらがどのようにリサイクルされていくのかを学びます。参加者にはリサイクルで作られたエコバッグがプレゼントされます。次は山上公園です。こちらでは助け合いをテーマに防災救助体験イベントが行われています。身の回りにあるものを使ったけがの処置方法やけが人の運搬方法などを体験して学べます。最後は、光の丘公園です。伝統をテーマに職人たちが物作りを紹介、染め物や竹細工の小物などを販売しています。

また昔ながらの遊び道具の工作が無料で体験できます。

女2：ねぇ、おもしろそうなイベントがたくさんあるね。どれか行ってみない？

男　：うん。救助活動が目の前で見られるって楽しそうじゃない？ 実は子どもの頃、救命士に憧れていたんだよね。

女2：へえ、そうなんだ。それもいいけど私はやっぱり食べるのが好きなんだよね。あなたもそうでしょ？

男　：もちろん、好きだけど毎年すごく混むって聞くよ。おいしいものは食べたいけど、行列に並ぶのは苦手なんだよね。

女2：じゃ、それは妹と行ってくるよ。他だと、エコバッグがもらえるっていうのも気になるけど、あそこはちょっと遠いよね……。あっ！ そういえば、あなたのお母さんが和室に飾る小物がほしいって言ってたよね？私も何か工芸品がほしいな。

男　：そうだね、僕も今それもいいなって思ってたんだよ。

女2：じゃ、子どもの頃の憧れは？

男　：それはまたの機会にするよ。

女2：じゃ決まりだね。

質問1　女の人は、妹とどこのイベントに行きますか。

質問2　二人は、一緒にどこのイベントに行きますか。

第12週　2日目

統合理解 Integrated comprehension p.189

1　N1-177　答え　3

会社で男の人と女の人が健康診断について話しています。

男　：中村さんって、いつも健康診断の時、胃の検査でカメラ飲んでるよね。僕、今年初めてやろうかなって思ってるんだけど、どんなもんかなって思って。

女　：え一、怖いの？ 実は、私もおととし初めてで、緊張したんだけど、やってみたら全然問題なかったよ。鼻からカメラを入れる方法と、口から入れる方法があるんだけど、鼻からのほうが楽だって聞いていたから、そっちのほうがいいかなって思っていたんだよね。でも、いつもの健康診断所は日によって受診方法が決まっていて、選べなかったんだ。私が行った日は口からの日で、苦しくないか聞いてみたら、女性は鼻の通りが狭いから、むしろ口からのほうが楽だって言う人もいるって言われて、そのまま口から入れたよ。

男：そうなんだ。じゃ、僕は鼻からでも大丈夫かな。

女：どうだろうね。鼻から入れた経験はないから何とも言えないけど、やるなら鎮静剤を使用したほうが、絶対いいよ。使わないと苦しいらしいから。ただし、その日は運転はできないけどね。

男：そうなんだ。僕は車通勤だからな。

女：いつもはカメラでの検査じゃなくてバリウム検査だったっけ。それはだめなの？

男：だめというわけではないけど、あれも白い液体を飲むのが辛いんだよな。それにX線で見るだけだから、カメラのほうが確実かなって。そろそろ年齢も年齢だし。

女：うん。それは賛成。

男：でも、苦しくないか心配で。

女：そんなに心配なら、車、あきらめて、私と同じ方法にしたら？

男：そうだね。そうするか。

男の人はどのように胃の検査を受けますか。

1　バリウムを飲んで、X線検査をする。
2　鎮静剤を打って、鼻から胃カメラを入れる。
3　鎮静剤を打って、口から胃カメラを入れる。
4　鎮静剤なしで、口から胃カメラを入れる。

2　N1-178　答え　1

大学生が雑誌を見ながら、話しています。

女　：ねえ、この雑誌見た？ 大学祭特集。

男1：うん。やっぱり、うちのライバル校、東西大学が気になるよね。あそこの科学体験は毎年評判だし、今年は最近はやってるこのバンドも呼んだんだって。やることが派手だよね。

男2：おっ、何、何。学祭の話？

女　：そうそう。あ、これ見て。仙北福祉大学。今年の芸能人トークショーすごくない？ あの人気ドラマ「銀行マン」の出演者が来るんだよ。

男1：それより、うちの学祭はどんな紹介になってんの？

女　：えーと、ここ、読むよ。「南科学大学。その名の通り、科学サークルの科学実験が子どもたちに人気です。今年は屋外で大仕掛けの科学実験をするそうです」だって。

男1：え、それだけ？ もっと魅力的に書いてほしかったな。こうなったら当日は南科学大学の名にかけて、度肝を抜く実験を見せてやろうよ。

女　：そうだね。それから、中央科学文化大学は食品栄養学科の屋台が名物だよね。ユウジ君の彼女、これやるんでしょ？

男2：そうそう。俺、その前に試食頼まれてるんだ。二人も試しに来る？

女　：え！ 行く行く！

男1：俺ももちろん行くよ！

男2：じゃあ、伝えとく。あと……おもしろそうなのは、仙南理工大学のロボットコンテストかな。

女　：えー、行くならトークショーでしょ。

男1：いや、ここは偵察を兼ねて、うちと似たようなことしてるところを見に行くべきじゃない？

女　：えー、あのドラマだよ。

男2：まあ、まあ。確かにライバル校は偵察したいな。来年の参考にもなるし、行こう。

女　：二人がそう言うなら、そうしよう。

三人はどの大学の大学祭に行きますか。

1　東西大学
2　仙北福祉大学
3　中央科学文化大学
4　仙南理工大学

3　N1-179　答え　質問1：1　質問2：3

ラジオで健康評論家が「冷え性」について話しています。

女1：一雨ごとに寒さが増し、秋も深まってきましたね。寒くなると冷え性で困るという方も少なくないのではないでしょうか。今日は冷え性の改善法をタイプ別にご紹介します。まず、末端冷え性タイプと呼ばれる手足の先が冷える典型的な冷え性ですが、体を温める食事を心がけ、適度な運動を取り入れることが大事です。過度なダイエットを行っているとなりやすく、爪が割れやすいという特徴があります。お湯にお酢を入れて足をつけると、普通のお湯でするより保温効果が持続します。次に、下半身が中心に冷える人は内臓冷え性タイプになります。筋肉量が少なく胃腸が弱い人がなりやすいです。また夜中にトイレに起きることも多く、夕方になると足がむくむのが特徴です。45度前後のお湯を1日に数回飲むと効果的です。そして、ほてり冷え性タイプですがこれは末端冷え性や内臓冷え性が進行したタイプです。顔はほてっているのに、手足は冷たいのが特徴です。生活習慣が乱れていたり眠りが浅かったりすることが原因でイライラしやすくなります。ストレスを解消するためにぬるめのお湯に20分から30分ほど浸かるようにしましょう。リラックスすることを心がけてください。最後は全身冷え性タイプです。症状としては朝起きるのが辛い、肩がこるなどで、貧血気味になります。バランスのよい食事を心がけ足を動かす運動を行い、基礎体温を上げると比較的短期間で効果が表れます。皆さんも自分にあった改善法で……。

女2：最近、体が冷えちゃってなかなか眠れないんだよね。

男　：それで靴下を履いて寝ているんだね。子どもの頃からの習慣かと思っていたよ。

女2：違うよ。つま先が冷たいから温めているの。そういえばあなた最近よく寒い寒いって言ってるし、忙しくて生活のリズムも狂ってるし、眠りも浅そうだけど……。それにちょっとしたことで怒りっぽくなってるよ。

男　：悪かったよ。確かにさっきの症状にピッタリだよね。よしっ、早速今夜からぬるめのお湯に浸かるようにするよ。リラックス、リラックス。君は以前よく夜中にトイレに起きていたけど……。

女2：最近は冷たい飲み物も控えてるから大丈夫。それに胃腸が弱いわけじゃないし。運動だってしてるから以前より筋肉だってついてきたよ。

男　：それはそうだね。貧血でもなさそうだし肩こりもないし……。やっぱり君はあれか……。お酢で試してみたら？

女2：お酢？

男　：最近、爪が割れやすくなったって言ってたじゃないか。何より寝る時に靴下が必要なんだろう？　君もさっきの改善法を試してみたほうがいいよ。

女2：そうだね、やってみようかな。

質問1　**男の人は、女の人をどのタイプだと思っていますか。**

質問2　**男の人は、自分をどのタイプだと思っていますか。**

第12週　3日目

統合理解 Integrated comprehension　p.190

1　♪ **N1-180**　**答え　2**

会社で男の人と女の部長が話しています。

男：部長、何かご用ですか。

女：ああ、山崎さん、最終面接の結果を明日までに出すよう、人事課から急かされてるんだけど、山崎さんはあの四人の中だったら誰がいいと思う？　私、決めかねていて。

男：確かに四人それぞれ見込みがあって、優劣つけがたいですよね。１番目の清水さんは、一次選考の入社試験の結果が飛び抜けていましたよね。うちの課では論理的な思考力が大切ですから、こういう人材は得難いのではないでしょうか。ちょっと無口でコミュニケーションが苦手な印象もありましたが。逆に２番目の小島さんは、人懐っこさが魅力ですね。ああいう性格の人はお客様との関係構築がうまいから、チームに一人はいてくれると助かります。

女：そうだね。ただ彼の場合、この業界に関する知識はこれからに期待かな。

男：はい。同感です。そして３番目の野口さんは志望動機が明確でした。やりたいことがはっきりしてると、先輩としてもサポートしやすいですね。でも、会社ではやりたい仕事ができるとは限らないから、ああいう人はすぐ辞めちゃうかもしれませんね。それから４番目の戸田さんは、学生時代からこの業種のインターンシップを続けているそうなので、即戦力になること間違いなしです。ただ、海外志向が強いみたいなので、国内の仕事で満足してくれるといいんですが……。

女：この四人から一人か……。誰がいいかな。

男：そうですね、僕としては、長く一緒に働けそうな人がいいですね。

女：私もそれは賛成。あと、うちの会社のやり方を素直に受け入れてくれそうな人がいいから、一概に経験があることが望ましいとは言えないんだよね。とすると、この人かな。

男：そうですね。今うちの部署には有能な人が多いですから、持ち前のコミュニケーション力を生かして、先輩社員からきっと学んでいけるでしょう。

二人は誰を選びましたか。

1　清水さん
2　小島さん
3　野口さん
4　戸田さん

2 ♪ **N1-181　答え　3**

商店街の店長が集まって話し合っています。

男1：今日皆さんに集まっていただいたのは、お客様の商店街離れをどうやって食い止めるか、案を募るためです。お花屋さんはご意見ありますか。

女　：月並みですが、買い物に来てくださったお客様に割引券を配るのはどうですか。お客様に繰り返し来ていただくことにつながりますから。家計の助けになったらきっと主婦は喜びますよ。あとは、子どもが喜ぶイベントをしたらお客様、来てくださるんじゃないでしょうか。寺田カフェさん、ご趣味の紙芝居、お店でやってみたらどうですか。

男2：ははは、お恥ずかしい。でも、お花屋さんに頼まれたら、嫌とは言えませんね。子どもと言えば、友人が、うちの商店街は赤ちゃん連れで来るのは大変だって言ってました。

女　：ああ、もしかして、おむつ替えをしたり授乳したりできるスペースがないからじゃないですか。私も、娘が小さい頃は外出時にそういう設備がないところは諦めざるを得なくって……。

男1：なるほど。それはそうですね。魚屋さんの横の空き店舗を改装して、そういう場にするといいかもしれませんね。商店街の理事会に掛け合えば、何とかなるんじゃないかな。

女　：あそこは広々としているし、地域のお母さん同士の交流スペースにもできますね。

男2：本当は、われわれ飲食店としては、そういう若い人たちにお店に来てもらえると嬉しいんですけどね。なんだかどうも客層がお年寄りに偏っていて活気がなくって。

女　：あ、じゃあ、あれやってみたらどうですか。若い人向けにインターネットの掲示板にお店のページを作って、宣伝を書くんです。自分でできますから、初期投資もかかりませんし。

男1：それ、商店街全体でできませんかね。スーパーにはない、商店街ならではの魅力を発信するっていう感じで。

男2：それはいいかもしれませんね。

男1：いい案がたくさん出ましたね。まずは一つの企画に絞ってやってみましょうか。この案ならば、実際の利用客の声に基づいていて、お客様の商店街離れの根本的な解決につながるのではないでしょうか。私が次の理事会で許可を申請しますから、許可が得られ次第、取りかかりましょう。

商店街が取り組もうとしている企画はどれですか。

1　割引券の発行

2　子ども向けのイベント

3　空き店舗の活用

4　インターネットの掲示板の活用

3 ♪ **N1-182　答え　質問1：1　質問2：3**

フランス語の授業で、女の先生が話しています。

女1：皆さん、来週から長い文章を読むことになりますので、必ず辞書を用意するようにしてください。いい辞書はたくさんありますが、私のおすすめの辞書を４つご紹介します。まず、あかね書店の辞書。これは何十年も前から、フランス語を勉強する大学生から愛用されてきた辞書です。掲載語彙数の豊富さもさることながら、用例も充実しています。持ち歩きには向きませんが、今後も継続的にフランス語を勉強したい人にはこの辞書がいいでしょう。北川出版の辞書は、コンパクトという言葉が書名にあることからもわかるように、掲載語彙数は限られています。しかし、日常生活に必要な語彙が調査に基づいて厳選されていて、使いやすいです。常に携帯して、気になった時にすぐ調べるのには理想的でしょう。ただ、用例は少ないので注意してください。さくらパブリッシングの辞書の特徴は、写真や図が効果的に使用されていることです。特にこの見開きのページでは、分野ごとに語彙が整理されていて、一つのトピックにまつわる語彙を一気に確認できるので、勉強になりますよ。その分、分厚くはなってしまっているのですが、その価値はあります。また、会話に便利な表現集も付いているので、とりあえずフランス語を使ってコミュニケーションを取ってみたいという人にはいいかもしれません。そして最後にかえで書房の辞書。学習者向けに丁寧に作られた辞書です。動詞の活用に苦労する学生が多いですが、この辞書があれば比較的容易に調べることができます。文法書を兼ねた辞書と言ってもいいでしょう。語彙数は少なめではありますが、中級くらいまでなら、この辞書でも十分調べられますよ。基礎を確実にするには最適です。

女2：うーん、中原君はどの辞書がいいと思う？

男　：そうだなあ、豊富な語彙力なしには、コミュニケーションが取れないから、フランス語で言いたい言葉を思いついたら、どこにいても即座に調べて学びたいと思うんだ。だからこれかな。林さんは？

女2：私は文法、苦手なんだけど、やっぱり2年後に絶対フランスに留学したいと思ってるから……。

男　：じゃあ、基礎を固めるっていう辞書？

女2：ううん。留学先の授業で出てくるような専門的なフランス語も調べられる充実した辞書を買うつもり。出先ではスマホで調べればいいから、重さは問わないよ。

男　：ああ、その手があったか。じゃあ、僕も持ち運びはスマホでいいや。それなら、語彙を体系的に学べそうなこの辞書がいいな。

質問1　女の学生はどの会社の辞書を選びましたか。

質問2　男の学生はどの会社の辞書を選びましたか。

第12週　4日目

統合理解 Integrated comprehension p.191

1 N1-183　答え　1

スポーツジムで女の人とスタッフが話しています。

女：すみません、このジムでいろいろなプログラムに参加できるって聞いたんですが、お話聞かせてもらえますか。最近運動不足だし、ストレス解消に体を思いっきり動かしたいなって思ってるんです。平日の仕事終わりで、19時以降に始まるクラスがあれば、一番いいんですけど。週2日くらいで。あ、あと、あまり他のジムにはないようなプログラムだと得した気分になるかなって。

男：そうですか。では、スカッシュのプログラムはいかがですか？ 室内でするテニスのようなスポーツです。週に1回だけなんですが、結構運動量があって、たくさん体を動かしたい方におすすめです。この辺だと、うちだけですね、このコートがあるのは。ただ、時間は18時50分からになります。

女：あ、そうなんですね。18時50分か。ちょっと急がないと間に合わないかな。

男：それから、ダンスもあります。こちらは週に2回、19時半から1時間のプログラムです。基礎クラスからあるので、初心者の方でも安心していただけますよ。年に1回、その成果を発表する機会もあって、とても好評です。

女：へえ、ダンスか。

男：あとは、ヨガはどうでしょうか。体も柔らかくなりますし、姿勢もよくなって、肩こりとかなくなりますよ。たくさん運動して汗をかくというよりは、ゆっくりとリラックスしながら心も体も整えていくという感じですが。女性には一番人気ですね。こちらも週に2回、19時からのクラスと、もう少し遅い20時からのクラスもあります。

女：ヨガもちょっと興味あるんですよね。

男：あとは……、ちょっと料金が他のよりかかるんですが、パーソナルトレーニングもあります。こちらは、お客様一人に対して、トレーナーが一人ついて、お客様に合ったエクササイズやトレーニングをご提案していきます。体を動かしたいということであれば、それを伝えていただければ、ご希望に合わせたものができますよ。時間もお客様のご都合に合わせて設定することができるので、時間が決まっているプログラムに参加できない、お忙しい方にご利用いただいています。

女：なるほどね。いろいろあるんですね。料金はそんなに気にしてないけど……。そうだなあ、やっぱり体を目いっぱい動かしたいし、近くにはあまりないっていうのもいいですよね。うん、これに申し込もうかな。まあ、時間も急げば大丈夫そうだし。

男：ありがとうございます。では、こちらにご記入ください。

女の人はどのプログラムに参加することにしましたか。

1 スカッシュ
2 ダンス
3 ヨガ
4 パーソナルトレーニング

2 N1-184 答え 1

会社で上司と社員二人が話しています。

男1：そろそろ、新しい製品の開発を進めたいんだけど、何かいい案あるかな？ 今回は特に、我が社の主力製品である掃除機のニューモデルを作ろうと思っているんだけど。

女 ：そうですね。やはり我が社の製品の強みは、業界最軽量というところだと思うんです。そこを生かして、さらなる軽量化を進めるというのはいかがでしょうか。子どもでも片手で持てる、など、インパクトがあると思うんです。

男2：もちろん、それもいいと思うのですが、軽量化を進めると、どうしても吸引力が劣りますよね。お客様アンケートにも、我が社の製品は大きいごみを吸ってくれないという意見もありましたし。軽量化よりパワーを上げるほうが先かと思います。

男1：確かにね。軽量化はいったん置いといて、パワー強化というのもありだね。

女 ：では、むしろ、掃除機に最も必要とされる機能だけ残して、低価格で売り出す、というのはどうでしょうか。アンケートにも使ったことのない機能がある、と回答した方、結構いましたよね。だったら、いっそ、そういうのをなしにして、シンプルな機能で他社よりずっと安い価格で出せば、消費者にも喜んでいただけると思うんですが。

男1：なかなか斬新なアイディアだな。でも、そうなると今まで培ってきたものが無駄になるような気がしてならないけど。

男2：それなら、逆に高級路線はどうですか。パワー強化も含め、機能は持てる限りの新技術を駆使して、それでもって、デザインもこだわるとか。

女 ：あー、最近、スタイリッシュなデザインでリビングに置いてあっても違和感のないおしゃれなもの、他社からも出ていますよね。

男1：そうだな。その案も捨てがたいが、他社の後追いをしてもな。やはり他社との差別化ということを考えると、我が社のアピールポイントを徹底的に追及していくことにしよう。

男2：はい、わかりました。

この会社では、どのような新製品を開発することにしましたか。

1 子どもでも片手で持てるような、軽量化された製品
2 大きなごみも吸えるような、吸引力を強化した製品
3 必要な機能だけがある、シンプルで低価格の製品
4 あらゆる機能を搭載し、デザインもこだわった製品

3 N1-185 答え 質問1：3 質問2：2

大学で職員が海外派遣プログラムについて話しています。

男1：一口に海外派遣プログラムといっても、様々なものがあります。まず、スタディツアープログラムから説明します。このプログラムはその名の通り、勉強、研究を目的とし

たものになります。夏休みの間、1か月の滞在で、主に卒業論文執筆のために必要なデータを集めるということを目的としています。ですので、卒業論文のテーマが明確に決まっていて、なおかつ海外でデータを収集したいという学生にはうってつけです。次にご紹介するのは、海外インターンシッププログラムで、海外での就職を考えている学生におすすめです。こちらは6か月、現地企業で働くことになります。もちろん、給料も出ます。まあ、物価が異なりますが、現地での生活に困らない程度はもらえます。ただし、6か月間の滞在となりますので、大学は半年間、休学することになりますね。続いて、交換留学についてですが、こちらはこの大学と提携している各国の大学に1年間、皆さんを派遣するプログラムです。提携を結んでいるので、あちらの大学で取得した単位はもちろん、卒業単位に含まれます。休学の必要はありません。一番人気のあるプログラムですが、それゆえに毎年応募者が多く、なかなか狭き門となっています。交換留学を狙っているのなら、成績も上位をキープしておく必要があります。行きたい国に提携大学がないとか、1年間じゃもの足りないという学生には、自由留学という選択肢もあります。大学を休学して行くことになりますが、こちらは行き先も期間も自分で選ぶことができます。また、交換留学がかなわなかった学生でも、自由留学はできますので、どうしても長期で行きたいという人は考えてみてください。

女　：ね、松井くんは留学とか、考えてるの？

男2：まあね。僕は絶対に長期で行くつもり。

女　：そうなんだ。私も行きたいって思ってる。でも、できるだけ休学はしたくないんだよなあ。

男2：あれ？ 海外で働くのが夢って言ってなかったっけ？ てっきりそのプログラムにするのかと思ってた。

女　：うん。そうなんだけどね。せっかくなら1年ぐらいは行きたいし。成績は胸を張れるほどでもないんだけど、応募するだけ応募してみようかと思って。だめだった時は他の方法考える。

男2：そうなんだ。僕が行きたいと思ってる国、去年提携をやめちゃったみたいでさ、もう休学して、その国に2年くらい行っちゃおうかとも思ってたんだけど。

女　：ああ、それもいいかもね。あ、でも、論文のテーマ、決まってたよね？ とりあえず、データ取りに行くのもいいんじゃない？

男2：うん。海外でデータ取れたら最高。でも、夏休みだけって短すぎるでしょう。でもさ、さっきの話聞いてたら、多くないとは言え、給料がもらえるって魅力的だなと思い始めたよ。留学ってお金かかるし、働く経験もできて、なおかつ給料までもらえるなんて、すごくいいなって。その間に論文用のデータも取れるし。長期で行くのは、それから戻ってきたらまた考えようかな。

質問1　女の学生はどのプログラムに申し込もうと考えていますか。

質問2　男の学生はどのプログラムに申し込もうと考えていますか。

第12週　5日目

統合理解 Integrated comprehension　p.192

1　N1-186　答え　1

旅行代理店で、男の人と店員が話しています。

男：すみません、両親の結婚30周年記念に旅行をプレゼントしたいんですが。

女：30周年ですか。おめでとうございます。行き先のご希望はございますか。

男：いいえ、でもいい記念になるような旅行がいいんです。

女：それでしたらこちらの、「ヨーロッパ花巡り」はいかがでしょうか。世界遺産の庭園を巡って、美しい花をご覧いただけます。日本人ガイドも全行程で同行いたしますので、言葉の心配もございません。しかし、日本からの飛行機が週に３便と限りがございます。

男：あまり日にちは選べないんですね。うちの母、ガーデニングが好きだから、喜びそうだとは思うんですが。

女：日本からの便が多いものとなりますと、こちらの「まるごとエンターテインメント」はいかがでしょうか。弊社の一番人気の商品です。ミュージカルの本場で、様々なミュージカルやショーを全て特等席でご覧いただけます。こちらは現地のガイドが英語でご案内いたします。

男：いいですね。父が喜ぶだろうな。でもうちの両親、英語はそんなに堪能じゃないんですよね……。

女：他にはこちらの「夢の楽園」もおすすめです。穴場のビーチリゾートにご宿泊いただき、ホテルでは部屋の目の前がプライベートビーチになっています。さらに毎日マッサージも受けていただけます。ただ、空港からホテルまで小型バスで４時間かかるのですが、ガイドが付かないのでご自身で移動していただくことになります。

男：結構かかるな。大丈夫かな。なにせ、両親も高齢なので。

女：あとはこちらの「オーロラ紀行」も人気です。こちらは、高い確率でオーロラが見られる場所にある、最新の観賞用施設にご宿泊いただきますので、オーロラを待っている間、快適に過ごしていただけます。このような設備のよさもさることながら、オーロラが出現した際には周囲の光に遮られることがないので、本当の輝きをご覧いただける環境が他とは比べものになりません。空港からの送迎付きですので、移動の心配もございません。ただ、日本人ガイドは同行しませんが。

男：どうしようかな……。両親には気楽に過ごしてもらいたいから、移動の面倒を全て見てもらえるのがいいな。言葉で不自由することもなさそうだし、母の喜びそうなこれにします。日程は合うように調整しますので。

男の人はどの旅行を両親にプレゼントしますか。

1　ヨーロッパ花巡り
2　まるごとエンターテインメント
3　夢の楽園
4　オーロラ紀行

2　N1-187　答え　3

イベントの内容について上司と社員二人が話しています。

男　：来月リニューアルオープンする公園のイベントでちょっと見直したいところがあるんだ。当日のイベント自体は問題ないと思うんだが、来ていただいた人の記憶に残るような何かいいアイディアはないかと思って。

女1：そうですね……。例えば先着100名様に何かプレゼントをするというのはどうでしょうか。当日は多くの親子連れのお客様が予想されますし、お子さんに喜んでもらえるようなもの……うーん、風船に園内の植物の説明書きやお菓子を付けて渡すとか？

男　：プレゼントを配るのはいいと思うけど風船はどうだろう。環境への影響を考えるとちょっとな……。

女2：確かその公園のテーマは「自然と共に生きる」でしたよね。それでしたら花や植木を配るのはどうでしょうか。自宅に帰ってからも、それらを見て公園を思い出してくれるのではないでしょうか。

男　：それはいいアイディアだと思うけど予算が限られているからね……。

女1：それなら、野菜の種はどうですか？ 種から野菜を作ることで食に感謝し、ひいては自然や環境にも関心を持ってくれる人が増えると思います。

男　：野菜か……。

女2：でもそれって収穫までにちょっと時間がかかりますよね。受け取ってもそのままにしてしまう人も多いのではないでしょうか。種を配ったところで実際にどのくらいの人が育ててくれるかはわかりませんよ。それならすぐに使えるエコバッグなどに何かメッセージを入れて配ったほうがわかりやすくていいと思いますが……。

男　：確かにエコバッグは無難だよな。でも環境といえば最近はどこもかしこもエコバッグでおもしろみに欠けるんだよな。やっぱり、テーマを考えても、実るまで育てるっていうのはいいよな。

女1：ええ、水耕栽培でできる早生品種だと、失敗することもほぼないですし。

男　：うん、それでいこう。

上司はオープニングイベントで何を配ることに決めましたか。

1　風船とお菓子
2　花や植木
3　野菜の種
4　エコバッグ

3　N1-188　答え　質問1：2　質問2：4

ラジオでアナウンサーが理想の上司像について話しています。

女1：えー、今日は大学生200人を対象に行ったアンケート結果をご報告します。今回は理想の上司像についてですが、有名なドラマの主人公をモデルに4タイプに分けてアンケートを取りました。まず最も支持を集めたのは「石田タイプ」でした。このタイプは人を惹きつける魅力があり、圧倒的な熱意を持って仕事をこなすカリスマタイプです。次に多かったのは「松本タイプ」です。これはお兄さんやお姉さんのような存在で、日頃は仕事に対して厳しいことを言っても、困った時には守ってくれるという頼れる年上タイプです。仲間意識が強いのが特徴とも言えます。そして次は「町田タイプ」です。上司と部下の関係がまるで友達のような関係です。サークルの延長かのような雰囲気で、余計な気遣いを抜きにして自分らしさを生かせる職場で働きたいと考える若者に人気があるようです。最後は「北野タイプ」。こちらは職人タイプといえばわかりやすいでしょうか。特に細かい指示は出さず、多くを語らないのが特徴ですが、聞かれたことに対してはしっかり指導をするタイプです。頭で考えるより体で覚えろという感覚が少し時代錯誤に感じられるとの理由で若者の支持を集めることはできなかったようです。

女2：ねえ、明ならどのタイプの上司と仕事したいと思う？ 私は頼れる年上タイプがいいな。仕事は厳しいけど、頼れる上司ってやっぱり安心だと思うんだよね。

男　：そうだね。でも僕は、祖父が職人だったせいか寡黙な人に憧れるんだよな。仕事は背中を見て覚えるっていうか。何かあればこちらから聞けばいいわけだし、自分で気づけることも多いんじゃないかな。

女2：そうね、それはそれで尊敬できるタイプだよね。それにひきかえ上司と気兼ねなく話せる関係っていうのは今の時代を象徴しているよね。いいような悪いような。

男　：僕は遠慮しとくよ。

女2：私も。私はやっぱりきちんと指導してほしい。それに仲間として頑張れる関係が理想だな。

男　：なるほど。それと、カリスマ性？ 人を惹きつける魅力があるっていうタイプだけど、それって生まれ持ってのものもあると思うんだ。確かに熱意を持って仕事をこなすってかっこいいって思うけど、僕はやっぱりさっき言ったタイプがいいな。

質問1　女の人はどのタイプが理想ですか。
質問2　男の人はどのタイプが理想ですか。